NOUVEAU
DISCOURS
DU RÉCIT

DU MÊME AUTEUR

AUX MÊMES ÉDITIONS

Figures I
coll. Tel Quel
repris dans la coll. Points

Figures II
coll. Tel Quel
repris dans la coll. Points

Figures III
coll. Poétique

Mimologiques
coll. Poétique

Introduction à l'architexte
coll. Poétique

Palimpsestes
coll. Poétique

GÉRARD GENETTE

NOUVEAU DISCOURS DU RÉCIT

ÉDITIONS DU SEUIL
27, rue Jacob, Paris VIe

CE LIVRE
EST PUBLIÉ DANS LA COLLECTION
POÉTIQUE
DIRIGÉE PAR GÉRARD GENETTE
ET TZVETAN TODOROV

ISBN 2-02-006627-0

I

Comme son titre doit l'indiquer assez, ce petit livre n'est qu'une sorte de post-scriptum au « Discours du récit » qui occupait les trois-quarts de *Figures III.* Post-scriptum inspiré, après dix ans, par une relecture critique à la lumière des commentaires suscités par cet « essai de méthode », et plus généralement des progrès, ou régressions, accomplis depuis par la narratologie.

Ce terme, proposé en 1969 par Tzvetan Todorov, s'est en effet répandu, avec la « discipline » qu'il désigne, un peu (très peu) en France, où on lui préfère souvent des nourritures plus aphrodisiaques, et bien davantage dans d'autres pays comme les États-Unis, les Pays-Bas ou Israël : la bibliographie qui suit en témoignera sans doute.

Le succès de cette discipline désole certains (dont il m'arrive d'être à mes heures) qu'irrite sa technicité sans « âme », parfois sans esprit, et sa prétention au rôle de « science-pilote » dans les études littéraires. Contre cette méfiance, on plaiderait volontiers qu'après tout l'immense majorité des textes littéraires, y compris poétiques, sont de mode narratif, et qu'il est donc juste que la narrativité se taille ici la part du lion. Mais je n'oublie pas qu'un texte narratif peut être envisagé sous d'autres aspects (thématique, idéologique, stylistique par exemple). La meilleure, ou la pire – la plus forte, en tout cas – justification de cette passagère hégémonie me semble tenir, plutôt qu'à l'importance de l'objet, au degré de maturation et d'élaboration méthodologique. Un illustre savant déclarait par boutade, si je ne m'abuse au début de ce siècle : « Il y a la physique, puis il y a la chimie, qui est une espèce de physique ; puis il y a les collections de timbres. » Inutile de préciser que Rutherford était physicien lui-même, et sujet britannique. Depuis, on le sait, la biologie elle aussi est devenue une espèce de chimie, et même (si j'ai bien lu Monod) une espèce de mécanique. Si (je dis *si*) toute forme de connnaissance se situe bien quelque part entre ces deux pôles que symbolisent la rigoureuse mécanique et ce mélange d'empirisme et de spéculation que figure la philatélie, on peut sans doute observer que

7

les études littéraires oscillent aujourd'hui entre le philatélisme de la critique interprétative et le mécanisme de la narratologie ; un mécanisme qui n'a rien, je pense, d'une philosophie générale, mais qui se distingue, à son mieux, par son *respect des mécanismes du texte.* Je ne prétends pas pour autant que le « progrès » de la poétique consistera en une absorption progressive de la totalité du champ par son versant mécanicien : tout juste que le respect en question mérite lui-même quelque respect, ou quelque attention, ne serait-elle que périodique. En congé de narratologie (mais non de poétique) depuis plus de dix ans, je crois devoir, conformément aux promesses ou menaces implicites de mon « après-propos », y revenir un instant, en priant l'éventuel lecteur de pardonner ce que la démarche adoptée comportera de narcissisme mal évacué ; se relire soi-même avec un œil sur les critiques encourues est un exercice à faible risque, où l'on a constamment le choix entre une riposte triomphante (« J'avais bel et bien raison »), une amende honorable non moins gratifiante (« Oui, j'avais tort, et j'ai l'élégance de le reconnaître »), et une autocritique spontanée franchement glorifiante : « Je m'étais trompé, nul autre ne s'en est avisé, c'est décidément moi le plus fort. » Mais trêve d'excuses elles-mêmes suspectes, car la complaisance a des détours infinis [1]. J'avertis seulement, avant de passer à l'acte, que cet état présent des études narratives suivra pour l'essentiel l'ordre adopté dans *Figures III :* questions générales et préalables (chapitres I à III), questions de temps (IV à VI), de mode (VII à XII), de voix (XIII à XVI), enfin sujets non abordés dans « Discours du récit » et qui me semblent aujourd'hui mériter l'examen, fût-ce à fin de rejet motivé (XVII à XIX). Pour cette raison, l'honnêteté m'oblige à préciser ce qui était sans doute déjà évident : que ce livre ne s'adresse qu'aux lecteurs de *Figures III.* Si vous n'en êtes pas et que vous soyez innocemment parvenus jusqu'ici, vous savez ce qu'il vous reste à faire.

II

Ce titre, *Discours du récit,* se voulait ambigu : discours sur le récit, mais aussi (étude du) discours du récit, du discours en quoi consiste le

---

1. Sur ces détours, voir Philippe Lejeune, 1982. Reste que cet exercice, que la critique américaine pratique plus volontiers que nous (voir la « Second Thoughts Series » de la revue *Novel*), peut être, tout compte fait, plus salubre que malsain.

récit, étude (comme choisit sa traduction anglaise) du *discours narratif.* Il l'était en outre plus qu'il ne le souhaitait, avec ce *discours* hésitant entre singulier et pluriel, au moins dans sa seconde interprétation : le récit consiste moins en *un* discours qu'en *des* discours, deux ou plusieurs, qu'on pense au dialogisme ou polylogisme selon Bakhtine, ou plus techniquement à cette évidence heureusement soulignée par Lubomir Doležel, et j'y reviendrai, que le récit consiste exhaustivement en deux textes, dont l'un, facultatif, est presque toujours lui-même multiple : texte de narrateur et textes de personnage(s). Cette double ambiguïté, je ne puis que la lever (l'écraser) en brodant aujourd'hui sur ce titre un autre, qui y opère un double choix : *Nouveau Discours du récit,* au singulier et dans le seul premier sens. Je souhaite que l'on garde pourtant à l'esprit le second, et sa nuance plurielle.

Autre ambiguïté, que revendiquait l'avant-propos : la dualité d'objet d'une démarche qui refusait de choisir entre le « théorique » (le récit en général) et le critique (le récit proustien dans la *Recherche*). Cette dualité avait, comme toutes choses, une de ses sources dans les circonstances : le propos, conçu si je ne m'abuse pendant l'hiver (février-avril) 1969 à New Harbour, Rhode Hampshire, où je me trouvais fréquemment retenu « chez moi » par les congères, d'éprouver et systématiser quelques catégories, déjà entrevues çà et là [1], sur le seul texte dont je disposais « à domicile » : les trois volumes Pléiade de la *Recherche,* et sur les débris erratiques d'une mémoire littéraire déjà passablement sinistrée. Façon comme une autre – et justement vouée à l'échec, mais je crains d'avoir eu un instant cette imp(r)udente prétention – de rivaliser avec la manière, elle souveraine, dont Erich Auerbach, privé (ailleurs) de bibliothèque, écrivit un jour *Mimésis.* Que mes collègues de Harkness University, qui s'enorgueillissent à juste titre d'une des meilleures bibliothèques littéraires du monde, et qui osent s'y rendre par tous les temps, me pardonnent ce parallèle doublement incongru, qui ne figure ici que pour l'amour du « petit fait vrai ».

Quelles qu'en fussent les raisons, cette dualité d'objet me gêne aujourd'hui davantage qu'alors. Le recours systématique à l'exemple proustien est évidemment responsable de certaines distorsions : une insistance excessive, par exemple, sur les questions de temps (ordre, durée, fréquence), qui occupent sensiblement plus de la moitié de l'étude, ou une attention trop faible à des faits de mode comme le

---

1. « Frontières du récit », « Vraisemblance et motivation », « Stendhal », « D'un récit baroque », *Figures II,* Seuil, 1969.

9

monologue intérieur ou le discours indirect libre, dont le rôle est évidemment mineur, voire nul, dans la *Recherche*. Ces inconvénients sont sans doute compensés par quelques avantages : aucun autre texte n'aurait, comme celui-ci, mis en évidence le rôle du récit itératif. Au demeurant – indulgence ou indifférence des spécialistes? – l'aspect proprement proustologique de ce travail n'a guère été contesté, ce qui permettra de corriger ici le tir en orientant l'essentiel de la discussion sur les questions d'ordre général, qui ont le plus retenu l'attention des critiques.

III

Je ne reviendrai pas sur la distinction, aujourd'hui couramment admise, entre *histoire* (l'ensemble des événements racontés), *récit* (le discours, oral ou écrit, qui les raconte) et *narration* (l'acte réel ou fictif qui produit ce discours, c'est-à-dire le fait même de raconter), si ce n'est pour entériner le rapprochement souvent opéré entre la distinction *histoire/récit* et l'opposition formaliste *fable/sujet*. Entériner non sans deux faibles protestations : du point de vue terminologique, mon couple me semble plus parlant et plus transparent que le couple russe (ou du moins sa traduction française), aux termes si mal choisis que je viens encore, comme toujours, d'hésiter sur leur répartition; et du point de vue conceptuel, il me semble que notre triade au complet rend mieux compte de l'ensemble du fait narratif. Une partition duelle entre histoire et récit rabat inévitablement les uns contre les autres les faits que j'assigne plus loin au *mode* et à la *voix*. D'autre part, elle risque fort d'engendrer une confusion, effectivement répandue, entre ce couple et celui précédemment avancé par Benveniste : *histoire/discours,* que j'avais eu entre-temps [1] non le tort, mais le malheur de rebaptiser, pour les besoins d'une autre cause, *récit/discours.* Alors, *histoire/discours, récit/discours, histoire/récit,* il y a effectivement de quoi s'y perdre, sauf si l'on veut bien respecter les contextes et laisser chacun garder ses propres vaches, ou compter ses propres moutons, par quoi la narratologie est bien un remède à l'insomnie. La distinction benvenistienne *histoire/discours,* même ou surtout révisée en *récit/discours,* n'a rien à faire à ce niveau; l'opposition formaliste *fable/sujet* appartient, on

1. *Figures II,* p. 61 *sq.*

peut le dire, à la préhistoire de la narratologie, et ne nous servira plus de rien; le couple *histoire/récit,* quant à lui, n'a de sens qu'intégré à la triade *histoire/récit/narration,* dont le plus grand défaut est son ordre de présentation qui ne répond à aucune genèse réelle ou fictive. L'ordre véritable, dans un récit non-fictif (historique, par exemple), est évidemment *histoire* (les événements révolus) − *narration* (l'acte narratif de l'historien) − *récit :* le produit de cet acte, éventuellement ou virtuellement susceptible de lui survivre en texte écrit, en enregistrement, en mémoire humaine. Cette rémanence seule, en fait, autorise à considérer le récit comme ultérieur à la narration : dans sa première occurrence, orale ou même écrite, il lui est parfaitement simultané, et leur distinction est moins de temps que d'aspect, *récit* désignant le discours prononcé (aspect syntaxique et sémantique, selon les termes de Morris), *narration* la situation *dans* laquelle il est proféré : aspect pragmatique. En fiction, cette situation narrative réelle est feinte (c'est précisément cette feinte, ou *simulation* − peut-être la meilleure traduction du grec *mimésis* −, qui définit l'œuvre de fiction), mais l'ordre véritable serait plutôt quelque chose comme narration$<$ {histoire \\ récit,}

l'acte narratif instaurant (inventant) *à la fois* l'histoire et son récit, alors parfaitement indissociables. Mais exista-t-il jamais une pure fiction? Et une pure non-fiction?

La réponse est évidemment négative dans les deux cas, et le texte semi-autobiographique de la *Recherche* est une assez bonne illustration de la mixture qui fait l'ordinaire de nos récits, littéraires ou non. Reste que les deux types purs peuvent être conçus, et que la narratologie littéraire s'est un peu trop aveuglément enfermée dans l'étude du récit de fiction, comme s'il allait de soi que tout récit littéraire dût toujours être de pure fiction. Nous retrouverons cette question, qui trouve parfois une pertinence très précise : ainsi, l'interrogation typiquement modale : « Comment l'auteur sait-il cela? » n'a pas le même sens en fiction et en non-fiction. Ici, l'historien doit fournir des témoignages, des documents, l'autobiographe alléguer des souvenirs ou des confidences; là, le romancier, le conteur, le poète épique pourrait souvent répondre, hors-fiction : « Je le sais parce que je l'invente. » Je dis *hors-fiction,* comme on dit *hors-micro,* parce que dans sa fiction, ou du moins dans le régime ordinaire et canonique de la fiction (celui que récusent *Tristram, Jacques le fataliste* et nombre de récits modernes), il n'est pas censé inventer, mais rapporter : encore une fois, la fiction *consiste* en cette simulation qu'Aristote appelait *mimésis.*

11

L'emploi du terme *narratologie* présente quant à lui une autre bizarrerie, au moins apparente. On sait que l'analyse moderne du récit a commencé (avec Propp) par des études qui portaient plutôt sur l'histoire, considérée (autant que faire se pouvait) en elle-même et sans trop de souci de la manière dont elle est racontée – voire (cinéma, bande dessinée, roman-photo, etc.) transmise par voie extra-narrative, si l'on définit *stricto sensu* (c'est mon cas) le récit comme transmission *verbale*; on sait aussi que ce domaine est encore aujourd'hui en pleine activité (voyez Claude Bremond, le Todorov de *Grammaire du Décaméron,* Greimas et son école, et bien d'autres hors de France), les deux types d'étude s'étant d'ailleurs séparés fort récemment : l'*Introduction à l'analyse des récits* de Roland Barthes (1966) et la *Poétique* de Todorov (1968) étaient encore à cheval sur les deux [1]. Il y aurait donc apparemment place pour deux narratologies : l'une thématique, au sens large (analyse de l'histoire ou des contenus narratifs), l'autre formelle, ou plutôt modale : analyse du récit comme mode de « représentation » des histoires, opposé aux modes non narratifs comme le dramatique, et sans doute quelques autres hors-littérature. Mais il se trouve que les analyses de contenu, grammaires, logiques et sémiotiques narratives, n'ont guère jusqu'ici revendiqué le terme de narratologie [2], qui reste ainsi la propriété (provisoire?) des seuls analystes du mode narratif. Cette restriction me paraît somme toute légitime, puisque la seule spécificité du narratif réside dans son mode, et non dans son contenu, qui peut aussi bien s'accommoder d'une « représentation » dramatique, graphique ou autre. En fait, il n'y a pas de « contenus narratifs » : il y a des enchaînements d'actions ou d'événements susceptibles de n'importe quel mode de représentation (l'histoire d'Œdipe, dont Aristote disait à peu près qu'elle possède la même vertu tragique sous forme de récit que sous forme de spectacle), et que l'on ne qualifie de « narratifs » que parce qu'on les rencontre dans une représentation narrative. Ce glissement métonymique est compréhensible, mais fort malvenu; aussi plaiderais-je volontiers (quoique sans illusions) pour un emploi strict, c'est-à-dire *référé au mode,* non seulement du terme (technique) *narratologie,* mais aussi des mots *récit*

---

1. Le livre de S. Chatman, 1978, celui de G. Prince, 1982 *b*, et celui de S. Rimmon, 1983, le sont, dirais-je, *de nouveau,* sur le mode d'un essai de synthèse didactique *a posteriori.*
2. La seule revendication en ce sens, à ma connaissance, est celle que formule le titre (et le contenu) du livre de Prince (1982 *b*), et qu'explicite son article 1982 *a.*

ou *narratif*[1], dont l'usage courant était jusqu'ici plutôt raisonnable, et qui se voient depuis quelque temps menacés d'inflation. L'emploi du mot *diégèse,* partiellement proposé[2] comme équivalent d'*histoire*, n'était pas exempt d'une confusion que j'ai tenté de corriger depuis[3]. La diégèse, au sens où Souriau a proposé ce terme en 1948, opposant l'univers diégétique comme lieu du signifié à l'univers *écranique* comme lieu du signifiant filmique, est bien un *univers* plutôt qu'un enchaînement d'actions (histoire) : la diégèse n'est donc pas l'histoire, mais l'univers où elle advient, au sens un peu... restreint (et tout relatif) où l'on dit que Stendhal n'est pas dans le même univers que Fabrice. Il ne faut donc pas, comme on le fait aujourd'hui trop souvent, substituer *diégèse* à *histoire,* même si, pour une raison évidente, l'adjectif *diégétique* s'impose peu à peu comme substitut d'un « historique » qui entraînerait une confusion encore plus onéreuse.

Une autre confusion tient à un télescopage entre les termes *diégèse,* ainsi (re)défini, et *diégésis,* que nous retrouverons, et qui renvoie à la théorie platonicienne des modes de représentation, où il s'oppose à *mimésis. Diégésis,* c'est le récit pur (sans dialogue) opposé à la *mimésis* de la représentation dramatique, et à tout ce qui, par le dialogue, s'en insinue dans le récit, ainsi devenu impur, c'est-à-dire *mixte. Diégésis,* donc, n'a rien à voir avec *diégèse* ; ou, si l'on préfère, *diégèse* (et je n'y suis pour rien) n'est nullement la traduction française du grec *diégésis.* Les choses peuvent se compliquer au niveau des adjectifs (ou hélas de la traduction : le mot français et le mot grec se neutralisent fâcheusement dans l'unique anglais *diegesis,* d'où pataquès comme dans Wayne Booth, 1983*a*, p. 438). Pour ma part, je dérive toujours (comme Souriau, bien sûr) *diégétique* de *diégèse,* jamais de *diégésis* ;

---

1. C'est dire combien me gêne l'emploi dont témoigne un titre comme *Syntaxe narrative des tragédies de Corneille* (T. Pavel, Klincksieck, 1976). Pour moi, la syntaxe d'une tragédie ne peut être que *dramatique*. Mais peut-être faudrait-il réserver un troisième niveau, intermédiaire entre le thématique et le modal, à l'étude de ce qu'on peut appeler en termes hjelmsléviens la *forme du contenu* (narratif ou dramatique) : par exemple, la distinction (j'y reviens à l'instant) entre ce que Forster appelle *histoire* (épisodique, de type épique ou picaresque) et *intrigue* (nouée, du type *Tom Jones*), et l'étude des techniques afférentes.
2. *Figures III,* p. 72, n. 1 (« partiellement », parce qu'une définition plus précise intervient p. 280). Les renvois à ce livre se dispenseront dans la suite de la mention du titre, sauf danger de confusion.
3. *Palimpsestes,* Seuil, 1982, p. 341-342. Cf. J. Pier, art. « Diegesis », in *Encyclopedic Dictionary of Semiotics,* éd. T. Sebeok,

d'autres, comme Mieke Bal, ne se privent pas d'opposer *diégétique* à *mimétique*, mais je ne réponds pas de ce délit.

La notion de *récit minimal* pose un problème de définition qui n'est pas mince. En écrivant : « *Je marche, Pierre est venu* sont pour moi des formes minimales de récit [1] », j'ai opté délibérément pour une définition large, et je m'y tiens. Pour moi, dès qu'il y a acte ou événement, fût-il unique, il y a histoire, car il y a transformation, passage d'un état antérieur à un état ultérieur et résultant. « Je marche » suppose (et s'oppose à) un état de départ et un état d'arrivée. C'est toute une histoire, et pour Beckett, ce serait peut-être déjà trop à raconter ou à mettre en scène. Mais il existe évidemment des définitions plus fortes, et donc plus étroites. Evelyne Birge-Vitz oppose à mon « Marcel devient écrivain » une définition de l'histoire qui exige beaucoup plus : non seulement une transformation, mais une transformation *attendue* ou *désirée* [2]. On peut observer des spécifications inverses (transformation redoutée, comme dans *Oedipe finit par épouser sa mère),* mais il est bien vrai que l'immense majorité des récits, populaires ou classiques, exigent une transformation spécifiée, gratifiante (*Marcel finit par devenir, après tant d'erreurs, l'écrivain qu'il avait d'abord souhaité être*) ou décevante, c'est-à-dire peut-être gratifiante au second degré, pour le lecteur et, qui sait, pour le héros : *Marcel devient plombier.* Reste qu'à mon sens, ces formes spécifiées et donc déjà complexes sont celles, disons, de l'histoire *intéressante.* Mais une histoire n'a pas besoin d'intéresser pour être une histoire. Intéresser qui, d'ailleurs ? *Je marche* n'intéresse sans doute que moi, et encore, ou plutôt cela dépend des jours : après un mois de clinique, cela peut être une merveille. Mais inversement, j'en connais à qui le récit spécifié *Marcel finit par devenir écrivain* n'arrache qu'un apathique : « Grand bien lui fasse ! » Il faut donc, me semble-t-il, distinguer des degrés de complexité d'histoire, avec ou sans nœud, péripétie, reconnaissance et dénouement, et laisser leur choix aux genres, aux époques, aux auteurs et aux publics, comme faisaient à peu près Aristote ou E.M. Forster [3]

---

1. P. 75; je précise pour les lecteurs soupçonneux que « Pierre est venu » n'est *pas* un résumé du roman de Melville, ni « Je marche » un résumé des *Rêveries du promeneur solitaire.*
2. 1977; voir *Palimpsestes,* p. 280. Quant à ceux qui trouvent le résumé *plus pauvre* que l'œuvre qu'il résume, et par là reprochent à une réduction d'être réductrice, je n'ai vraiment rien à leur répondre.
3. *Aspects of the Novel,* 1927, p. 31 et 82. Cf. Rimmon, 1983, p. 15-19.

avec sa célèbre distinction de l'histoire (*story :* « *The king died and then the queen died* ») et de l'intrigue (*plot :* « ... *of grief* »). Il y a des temps et des lieux pour l'histoire, il y a des temps et des lieux pour l'intrigue. Il y a même, ajoutait Forster, des lieux pour le mystère : « *The queen died, no one knew why* ». Mon récit minimal est sans doute encore plus pauvre, mais pauvreté n'est pas vice, que l'histoire selon Forster. Tout juste « *The king died* ». C'est, me semble-t-il, assez pour faire une manchette. Et si le peuple veut des détails, on lui en donnera.

IV

L'étude de l'ordre temporel s'ouvre sur une section (*Temps du récit?*) dont la pertinence ne vaut en fait que pour les questions de « durée », j'y reviendrai donc à ce propos. Pour le reste, ce chapitre n'a guère rencontré qu'une critique, mais copieuse, qui porte uniquement sur l'étude des analepses, mais qui tomberait sans doute aussi bien, ou aussi mal, sur celle des prolepses. C'est un article signé C.J. van Rees, et paru en 1981 dans *Poetics* (p. 49-89) sous le titre : « Some Issues in the Study of Conceptions of Literature : A Critique of the Instrumentalist View of Literary Theories. » Comme ce titre l'indique, l'auteur s'en prend à la conception « instrumentaliste » de la théorie littéraire. Cette vue, qui est censée être la mienne, consiste à traiter la théorie comme un *organon,* c'est-à-dire un instrument pour l'étude des textes. Elle méconnaît, selon van Rees, les principes élémentaires de la méthodologie en général, illustre sans le vouloir et sans le savoir une « conception de la littérature », c'est-à-dire des systèmes de normes et de valorisations, et sert à institutionnaliser des croyances idéologiques sur la nature des textes littéraires. Van Rees invoque une poétique « générative », persuadée de l'existence d'une « compétence poétique » innée. Les guillemets sont dans son texte, mais j'ignore s'il me tient pour responsable de cette notion fantôme et pseudo-chomskyenne. Pour lui, en tout cas, cette compétence, dont il assume donc la réalité, est en fait *acquise* (j'en conviendrais sans peine, si je savais de quoi il s'agit), hétérogène (c'est-à-dire, j'imagine, variable) et *class-bound,* ce qui ne peut guère se traduire que par « liée à une appartenance de classe », au sens marxiste du terme : il y aura donc, je suppose, une compétence poétique bourgeoise, une prolétarienne, une féodale, etc. (Etc.? J'ai oublié la liste officielle.) Cette mise en place a le mérite de situer l'origine de cette critique, et de qualifier implicitement (*a contrario*) l'idéologie dont est censée relever ma « conception de la littérature » : « Je vais essayer de démontrer par l'analyse détaillée des trois premiers chapitres [de *Discours du récit* – en fait, d'une section du premier, et je laisse à juger s'il est légitime d'apprécier un essai de 215 pages sur un échantillon de 15] pourquoi le système terminologique de Genette relève d'une conception de la littérature et quelles sont ses caractéristiques » (p. 67) ; sur ces « caractéristiques », la suite est en fait extrêmement évasive, ce qui ne me rassure nullement : plus un crime est diffus, plus il est pendable, et en fait d'idéologie, je ne me vois guère le choix, si j'en ai un (et si c'en est un), qu'entre bourgeoise et féodale. J'hésite. Le seul point de repère dont je dispose – la seule référence qu'assigne van Rees à ma « conception de la littérature » (on aura noté au passage que le seul fait d'en avoir une est déjà grave), c'est... Wellek et Warren, ce qui ne m'avance guère : il est un peu tard pour les interroger sur leur propre appartenance de classe, que la lecture de leur œuvre ne suffit pas à m'indiquer, ayant perdu toute aptitude à ce genre de décryptage. Mais cette incertaine assignation idéologique n'est heureusement, ou malheureusement, qu'un préambule à une critique méthodologique de la notion d'anachronie.

Van Rees me reproche vivement l'usage du préfixe *pseudo-*, rapprochant le terme de « pseudo-temps » que j'applique à la durée du récit et (c'est à peu près sa seule incursion au-delà de ma page 105) celui de « pseudo-itératif », qui qualifiera certaines scènes de la *Recherche*. Ces deux notions n'ont évidemment pas le même statut épistémologique : le temps du récit (écrit) est un « pseudo-temps » en ce sens qu'il consiste empiriquement, pour le lecteur, en un espace de texte que seule la lecture peut (re)convertir en durée ; le pseudo-itératif est *pseudo* en ce sens qu'il est à la fois présenté (par l'emploi de l'imparfait) comme itératif, et irrecevable comme tel de par le caractère manifestement singulier de son contenu d'histoire : voir les pages 152-153, où je le qualifie de *licence* et de *figure* – et plus précisément d'*hyperbole* [1], puisque l'auteur y exagère jusqu'à l'identité, sans prétention à une crédibilité littérale, l'analogie entre deux scènes comparables. A vrai dire, l'itératif lui-même est toujours plus ou moins figuré, sauf à s'en tenir à des énoncés très schématiques (« Tous les jours, nous faisions une promenade ») ou de contenu très pauvre

---

1. Catherine Kerbrat-Orecchioni le définit pour sa part comme un « énallage aspectuel » (un imparfait pour un passé simple) : voir « L'ironie comme trope », *Poétique* 41, p. 116 ; cf. *La Connotation*, P.U. Lyon, 1977, p. 193. Les deux caractéristiques sont évidemment compatibles.

(« Vingt fois par jour, je me lave les mains »). Pour van Rees (p. 69), il y aurait une « pétition de principe » à parler de simple ressemblance à propos d'événements présentés par le récit comme identiques, parce que les « conditions minimales de ressemblance » ne sont pas définies. Mais ce n'est pas moi qui définis : c'est le texte qui pose une identité, et moi qui en rabats en supposant une simple analogie, que le même texte me fait apercevoir en indiquant le plus souvent toute une gamme de variantes (promenades par beau temps, par temps couvert, etc.). Supprimons donc cette clause de prudence et prenons l'itératif pour argent comptant : « Tous les samedis, il se passe rigoureusement la même chose » (c'est ce que dit Proust) : cela ne change rigoureusement rien à ma définition de l'itératif, et encore moins, si possible, au fait que son caractère itératif, c'est-à-dire synthétique, est donné par lui, comme le caractère anachronique d'une anachronie est, en régime classique (dans *Bovary,* par exemple, et encore chez Proust), *auto-déclaré.* Sur tous ces points, mon censeur m'accuse volontiers d'arbitraire : je décréterais itérative, analeptique, proleptique, telle ou telle page, sans apporter de *preuve.* Mais je n'ai rien à apporter, le décret est dans le texte. Il est vrai que van Rees ne se soucie guère du texte, et son article en général ne témoigne pas d'une très grande familiarité avec celui, entre autres, de la *Recherche.*

Mais revenons aux analepses, qui ont seules retenu son attention. Van Rees m'accuse de définitions multiples et incohérentes, et de fonder mes propositions terminologiques sur des postulats interprétatifs : j'observe qu'il saute à pieds joints par-dessus mes pages 78 à 89, certes laborieuses, où je présente, à partir de quelques exemples pris dans l'*Iliade,* dans *Jean Santeuil* et dans la *Recherche,* une procédure de détection, d'analyse et de définition des anachronies. Cette méthode est peut-être critiquable, mais on ne peut dire que van Rees en ait même esquissé l'examen : il l'ignore absolument, comme bien d'autres choses.

Quant à la multiplicité incohérente des définitions, j'observe encore que van Rees, pour m'accuser de désinvolture à propos du statut des anachronies, cite (p. 72) une phrase de *Discours du récit* (p. 90) en omettant exprès un mot qui change tout : « Ainsi défini, disais-je, le statut des anachronies *semble* n'être qu'une question de plus ou de moins, affaire de mesure à chaque fois spécifique, travail de chronométreur sans intérêt théorique. » Le mot omis par van Rees est *semble,* qui indique assez que je ne prends pas à mon compte cette appréciation dédaigneuse. Je sais bien que van Rees travaille en fait sur la traduction anglaise, mais elle est ici parfaitement fidèle : « *The status of anachronies* seems *to be...* (p. 48). Aussitôt après, il s'appuie sur une traduction plus contestable de « moments pertinents » (pour la répartition discrète des caractéristiques de portée et d'amplitude) par « *certain 'higher' moments of the narrative* », sous prétexte que le traducteur aurait mieux perçu que moi le sens de ce passage : « *... the tenor which, for a critical reader, is implied in this passage* ». On appréciera le procédé, pur de tout « postulat interprétatif », et de tout procès d'intention. Dans le même esprit, huit pages plus loin (p. 80), van Rees appuie son accusation d'incohérence sur une citation grossièrement trafiquée. Il s'agit de l'analepse consacrée, dans l'*Odyssée*, aux circonstances de la blessure d'Ulysse. J'écris (p. 90) : « Bien entendu, les emboîtements peuvent être plus complexes, et une anachronie peut faire figure de récit premier par rapport à une autre qu'elle supporte, et plus généralement, par rapport à une anachronie, l'ensemble du contexte peut être considéré comme récit premier. Le récit de la blessure d'Ulysse porte sur un épisode bien évidemment antérieur au point de départ temporel du « récit premier » de l'*Odyssée*, *même si*, selon ce principe, on englobe dans cette notion le récit rétrospectif d'Ulysse chez les Phéaciens, qui remonte jusqu'à la chute de Troie » (ici encore, la traduction anglaise est fidèle, le « même si » traduit par « *even if* »). Voici comment van Rees cite ce passage : « *First he states : 'We allow first narrative to include the retrospective tale Ulysses tells the Phaeacians...'* » Autrement dit, il cite une proposition subordonnée hypothético-concessive (« même si l'on englobe... ») comme si c'était une principale : « *We allow...* », gommant ainsi froidement le caractère concessif de l'hypothèse selon laquelle on pourrait, dans certaines conditions, négliger le caractère analeptique du récit d'Ulysse et l'intégrer au « récit premier » de l'*Odyssée*. Concessif, parce que l'argumentation était ici : *même* par rapport à un récit premier commençant à la chute de Troie, celui de la blessure d'Ulysse (avant la guerre) reste une analepse externe; sous-entendu : *a fortiori* par rapport à un récit commençant au départ de chez Calypso. Un enfant de trois ans comprendrait ce raisonnement, mais le propos de van Rees n'est évidemment pas de comprendre.

De tels procédés jugent un critique. Mais la question de fond qui est ainsi posée dépasse la personne de celui qui la pose, ou plutôt qui la tranche sans l'avoir posée. Cette question est celle de la pertinence et des niveaux de validité des définitions, des distinctions, des mesures, des énoncés scientifiques en général. Van Rees me reproche de négliger parfois des notions élaborées ailleurs, de neutraliser parfois des oppositions établies ailleurs, etc., signe pour lui d'incohérence, voire de désinvolture. Je pourrais revendiquer le droit à la désinvolture, mais la vérité est que le sérieux intellectuel lui-même exige que l'on sache négliger certaines données. Je renvoie ici le lecteur à certaines pages célèbres de la *Formation de l'esprit scientifique* sur l'excès de précision comme obstacle épistémologique. J'en dirai autant, et plus, de l'excès de rigidité dans l'usage des catégories et des définitions, dont la valeur n'est jamais qu'*opératoire*. A tel niveau d'opération, l'atome est un système de particules et la terre tourne autour du soleil; à tel autre niveau, il vaut mieux dire, comme au bon vieux temps, que l'atome est insécable et que le soleil se lève ou se couche à telle heure. A tel niveau d'analyse et par rapport au récit primaire de l'*Odyssée* (celui du narrateur épique), le récit d'Ulysse chez les Phéaciens est une analepse; à un autre niveau, et par rapport à une analepse de second degré, il peut être intégré au récit primaire, en *négligeant* cette différence. La rigidité est la rigueur des cuistres, qui ne sauraient jamais rien négliger. Mais qui ne néglige rien ne fait rien.

Pour le reste, la critique de van Rees repose sur deux confusions, ou contresens, dont je me sens un peu responsable, et qui renvoient à deux faiblesses de mon travail. Le premier contresens porte sur l'étude des analepses internes homodiégétiques, et consiste à m'attribuer une dévalorisation de principe de toute redondance ou interférence entre leur contenu narratif et celui du « récit premier ». C'est ici (p. 82-85) qu'il m'attribue une esthétique littéraire inspirée de celle qu'il prête à Wellek et Warren, affirmant par exemple : « *Genette simply assumes that* redundancy *is not present in a good writer.* » En vérité, mon parti pris, si j'en ai un (j'en ai plusieurs), est ici tout opposé, et à relire sans indulgence ce (trop long) chapitre des analepses, je le trouve entièrement construit, dans la chaîne de distinctions qui le commandent (externes/internes, partielles/complètes, hétérodiégétiques/homodiégétiques), en vue de dégager et de mettre en vedette les (rares) cas de « risque » d'interférence et de répétition. *Risque* (employé deux fois, p. 91 et 92) est évidemment une concession malheureuse à l'esthétique courante, que je n'attribuerai pas à Wellek et Warren, et qui veut que l'on évite les répétitions (et les contradictions). Mais dans mon esprit, tout ce qui poussait le récit proustien dans ce sens était un élément de transgression des normes classiques, et donc un facteur de valorisation. Sur ce plan comme sur d'autres (sur les structures achroniques (p. 115-121), le « jeu avec le temps » (p. 178-182), la « polymodalité » (p. 223-224), par exemple), je serais aujourd'hui moins porté à l'enthousiasme, et je trouve même un peu niaise l'attitude qui consiste à apprécier les œuvres du passé selon leur degré d'anticipation du goût actuel, avatar puéril de l'idée de progrès artistique, comme si le mérite de A était toujours d'annoncer B, qui lui-même ne vaudrait que pour annoncer C, qui à son tour... Joyce, Nabokov ou Robbe-Grillet ont leur valeur propre, et Proust a la sienne qui ne se résume pas à en augurer d'autres. Mais même du point de vue d'une esthétique moins subjective et anachroniste que celle qui animait çà et là *Discours du récit,* il reste que les capacités de répétition ou d' « interférence » d'un récit ne doivent pas être dévalorisées *a priori,* bien au contraire [1]. La littérature, ou du moins le récit en prose, a toujours exploité beaucoup plus timidement que les autres arts, et particulièrement que la musique, les ressources de la variation interne, et ce fut sans doute un appauvrissement. Quand un texte comme la *Recherche* s'en approche, fût-ce involontairement, il est donc permis de s'y plaire. Du moins n'a-t-il jamais été dans mon esprit de l'en blâmer, et je pense que nul lecteur de bonne foi ne pouvait s'y tromper.

La seconde confusion de van Rees consiste à (me faire) attribuer à ce que j'appelais « récit premier » une prééminence thématique sur les segments anachroniques [2]. Il devrait aller de soi qu'il n'en est rien, et il me semble, par exemple, avoir montré assez clairement (p. 85-89) que l'essentiel du texte de la *Recherche* consiste en cette vaste analepse qui commence à l'évocation (I, p. 383) des rêveries de voyage du jeune Marcel, troisième partie de *Swann.* Ici encore, sans doute, ma responsabilité tient à des maladresses de vocabulaire telles que *(passim)* « récit *premier* » ou (p. 92) « ligne *principale* de l'histoire ». Encore cette dernière formule ne vise-t-elle pas le caractère anachronique des épisodes concernés, mais bien leur caractère *hétérodiégétique* par rapport à ce que je maintiens comme ligne (thématiquement) principale de la *Recherche,* savoir l'expérience et l'apprentissage du héros. J'imagine bien ici l'obstruction métacritique de notre Beckmesser (« Qu'est-ce qui vous *prouve* que l'expérience du héros est plus importante que le mariage du petit Cambremer? »), mais nous avons peut-être déjà perdu assez de temps. Reste que le terme de « récit premier » peut être ressenti avec une connotation de jugement d'importance. Récit *primaire* serait sans doute plus neutre, au moins en français, et je le substituerais volontiers aujourd'hui. Nous en retrouverons l'utilité à propos des questions de niveau narratif [3].

1. J'y reviens d'ailleurs et, comme on peut le voir, sans aucune inflexion dépréciative, au chapitre de la *fréquence,* à propos du récit répétitif du type robbe-grilletien (p. 147), dont le principal mérite esthétique, faut-il le rappeler, tient à la façon dont il se répète.
2. P. 76, p. 81. Même confusion chez H. Mosher, 1976, p. 81.
3. C'est en ce sens que l'emploie L. Danon-Boileau, 1982, p. 37.

L'étude des prolepses pose des problèmes analogues par symétrie, et je ne crois pas qu'il soit nécessaire d'y revenir. Symétrie, devrais-je dire, à l'importance près : il est évident que le récit, même littéraire et même moderne, recourt moins souvent à l'anticipation qu'à la rétrospection, même si j'ai exagéré (p. 79) le caractère canonique de ce dernier procédé en attribuant un rôle inaugural à l'anachronie initiale de l'*Iliade* et en avançant que le « début *in medias res* suivi d'un retour en arrière explicatif deviendra l'un des *topoï* formels du genre épique ». En vérité, l'anachronie initiale de l'*Iliade*, d'ampleur au reste fort limitée, n'est nullement caractéristique d'un récit dans son ensemble fort chronologique, et le topos formel de l'analepse métadiégétique est spécifique de la seule *Odyssée*, puis (par imitation) de l'*Énéide*. Même des épopées classiques comme la *Jérusalem délivrée* s'en dispensent, et les chansons de geste n'y songent guère. Ce n'est nullement un trait typique de la diction épique en général, et la formule même d'*in medias res* n'apparaît pas chez Horace (*Art poétique,* v. 148) pour caractériser ce procédé odysséen, mais plutôt pour louer la manière dont l'*Iliade*, sans se croire tenue, fût-ce par voie d'analepse complétive, à remonter jusqu'à l'œuf de Léda *(ab ovo gemino),* jette ses auditeurs au milieu d'une action connue (la guerre de Troie) pour aborder bille en tête son sujet propre : la colère d'Achille. J'ai donc péché par généralisation hâtive, en accordant trop de crédit à l'opinion de Huet [1], qui illustre davantage le canon du roman grec et baroque que celui de l'épopée, même classique [2].

Pour en finir avec les questions de l'ordre narratif, je dirai un mot d'une appréciation de Dorrit Cohn [3], qui perçoit une « corrélation étroite entre les conceptualisations temporelles de Lämmert et les chapitres de Genette sur l'ordre et la durée ». Il me semble que le

1. Sans doute assez répandue depuis la Renaissance, puisque Amyot, présentant sa traduction d'Héliodore, affirmait en 1547 : « Il commence au milieu de son histoire, comme les poètes héroïques. »
2. « Si l'on étudiait la succession temporelle des événements dans l'*Iliade*, on découvrirait un ordre rigoureusement chronologique, du début (la querelle) à la fin : les funérailles d'Hector » (Rodney Delasanta, *The Epic Voice,* La Haye, 1967, p. 46). Meir Sternberg, qui cite (1978, p. 37) cette appréciation, la juge trop absolue et lui oppose légitimement des analepses comme le catalogue des vaisseaux et les souvenirs de Nestor. Mais cela n'autorise pas à appliquer à l'*Iliade,* au sens moderne que Sternberg distingue fort bien (c'est-à-dire comme moi) du sens horatien, la formule *in medias res.* On ne peut pas sérieusement assimiler la structure temporelle de l'*Iliade* à celle de l'*Odyssée,* que Sternberg analyse d'ailleurs superbement aux chapitres III et IV de son livre.
3. 1981 *b,* p. 159, n. 3.

rapprochement établi ainsi entre *Discours du récit* et *Bauformen des Erzählens* vaut en fait essentiellement pour les questions d'ordre, c'est-à-dire pour l'étude des anachronies : la seconde partie de l'ouvrage de Lämmert est en effet consacrée tout entière à ce qu'il appelle *Rückwendungen* (rétrospections) et *Vorausdeutungen* (anticipations). Je connaissais les grandes lignes du travail de Lämmert lorsque j'ai produit le mien, et il est évident que j'aurais dû m'y référer davantage. Mais les deux systèmes sont d'esprits fort différents. La classification de Lämmert est essentiellement fonctionnelle, divisant les anachronies selon leur place traditionnelle (déterminée – au début ou à la fin – ou libre) et leur rôle : d'exposition, de simultanéité, de digression, de retardement pour les analepses; d'anticipation presciente ou non, d'annonce immédiate ou à longue portée pour les prolepses. Malgré son appareil de catégories et de subdivisions, cette longue étude (92 grandes pages) est en un sens moins analytique que la mienne : elle s'attache synthétiquement à des formes canoniques déterminées par leur place et leur fonction (l'annonce titulaire, l'exposition rétrospective, l'annonce de transition, l'épilogue par anticipation, etc.). Les deux démarches sont donc complémentaires. Mais il me semble qu'elles se sont succédé dans un ordre lui-même anachronique et fâcheusement inversé, la synthèse esthétique précédant l'analyse textuelle : Genette ignore Lämmert parce qu'il se situe logiquement en amont de celui-ci, lequel ignore celui-là par une raison plus simple et plus contraignante. Un autre chassé-croisé du même ordre nous confirmera plus loin qu'ici comme ailleurs l'Histoire marche parfois à reculons.

V

La difficulté qu'on éprouve à mesurer la « durée » d'un récit n'est pas essentielle à son texte, mais seulement à sa présentation graphique : un récit oral, littéraire ou non, a sa durée propre et parfaitement mesurable. Un récit écrit, qui n'a évidemment pas de durée sous cette forme, ne trouve sa « réception », et donc sa pleine existence, que par un acte de performance, lecture ou récitation, orale ou muette, qui a bien sa durée, mais variable selon les occurrences : c'est ce que j'appelais la *pseudo*-temporalité du récit (écrit).

Cette difficulté peut être, non pas résolue, mais *négligée* par détermination d'une durée de lecture moyenne ou optimale, éventuellement réglée par le texte lui-même, s'il s'agit, par exemple, d'une scène de pur dialogue dont la durée d'histoire est indiquée – encore ne s'agit-il là que d'une régulation moyenne : par accélérations et ralentissements de détail, il y a mille façons de lire une page en trois minutes, et nul ne peut dire quelle est la « bonne ». Elle est d'autant plus négligeable que le trait pertinent, dans ce domaine, est en fait indépendant de la vitesse de performance (tant de pages *à* l'heure). Ce trait est en effet une autre vitesse, proprement narrative, que mesure le rapport entre la durée d'histoire et la longueur du récit : tant de pages *pour* une heure. La comparaison des deux durées (histoire et lecture) passe en fait par deux conversions : de durée d'histoire en longueur du texte, puis de longueur de texte en durée de lecture, et la seconde n'a guère d'importance, si ce n'est pour *vérifier* l'isochronie d'une scène. En fait, cette isochronie est approximative et *conventionnelle,* et nul (sauf peut-être van Rees) ne lui en demande davantage.

Le trait pertinent est donc la vitesse du récit, et pour cette raison, je pense aujourd'hui que j'aurais dû intituler ce chapitre non *Durée,* mais *Vitesse,* ou peut-être – puisque aucun récit, je suppose, n'avance d'un pas absolument constant – *Vitesses.* Un récit qui indique lui-même, ou laisse inférer, les limites temporelles de son histoire (ce n'est pas toujours le cas) se prête facilement à une mesure tachymétrique d'ensemble. Ainsi, si l'on considère (ce qui me semble le parti le plus raisonnable) que l'action d'*Eugénie Grandet* commence en 1789 et se termine en 1833 [1], on peut en déduire que ce récit couvre 44 ans en 172 pages [2], soit environ 90 jours par page. La *Recherche,* quant à elle, couvre 47 années en 3130 pages, soit à peu près 5,5 jours par page. L'enfant de trois ans qui est toujours auprès de moi en conclut que la *Recherche* est en moyenne et grosso modo seize fois plus lente qu'*Eugénie Grandet,* ce qui, comme on dit, ne surprendra personne, mais qui aurait deviné juste?

Cette comparaison externe ne prétend pas à grande signification, mais il serait peut-être intéressant de l'étendre, dans la mesure du possible, à quelques autres grands textes narratifs. La comparaison *interne* consiste à mesurer, de façon plus ou moins détaillée, les

---

1. Pléiade, p. 1030 : « M. Grandet était en 1789 un maître-tonnelier fort à son aise... » ; p. 1199 : Eugénie a trente-sept ans, « il est question d'un nouveau mariage pour elle », dernière page datée *dans le texte* de septembre 1833 (ce qui ne correspond pas forcément à la date réelle de rédaction, qui serait ici sans pertinence).
2. Pléiade, donc, que je vais comparer à des pages Pléiade de même contenance pour la *Recherche.*

variations de tempo d'un texte narratif. La mesure opérée dans *Figures III* pour la *Recherche,* si grossière soit-elle (et si conjecturale pour certaines de ses données), montre au moins l'immense *variabilité* du récit proustien : d'une page pour une minute à une page pour un siècle, mon enfant de trois ans affiche un rapport de 1/50 000 000. Une comparaison combinée (externe + interne) permettrait d'établir un rapport de rapports, et par exemple de confronter les capacités d'accélération et de décélération proustienne et balzacienne – confrontation fort utile pour un banc d'essai destiné aux amateurs de sensations fortes.

A ces considérations purement quantitatives doit s'adjoindre une étude plus qualitative, extrapolée de l'opposition classique entre sommaire et scène, auxquels j'ai proposé d'ajouter l'ellipse et la pause. Seuls les trois derniers « mouvements » (au sens musical) ont une vitesse déterminée : isochrone pour la scène, nulle pour la pause, infinie pour l'ellipse. Le sommaire est plus variable, mais ici encore il faudrait une enquête statistique pour mesurer sa variabilité, peut-être moins grande qu'on ne l'imagine *a priori.* En fait, la notion la plus délicate à isoler est ici la pause. Je la définis (p. 128, n. 1) de manière restrictive, en réservant pratiquement l'usage aux descriptions, et plus précisément aux descriptions assumées par le narrateur avec arrêt de l'action et suspension de la durée d'histoire : c'est, dira-t-on non sans facilité, le type balzacien. Les descriptions proustiennes, comme déjà certaines descriptions flaubertiennes, sont rapprochées du tempo de la scène par leur caractère focalisé [1]. Cette situation n'est pas le seul moyen de narrativiser une description, comme on le sait depuis Lessing, invoqué par allusion (p. 134, n. 5). Mais j'avais tort d'opposer la description du bouclier d'Achille à un prétendu « canon descriptif » de l'épopée : l'épopée homérique en tout cas pratique très peu la description, et loin de faire exception à un corpus descriptif homérique, le bouclier pourrait bien être désigné comme le seul objet décrit en détail chez Homère [2]. Ses imitateurs, comme Virgile et Quintus, lui reprennent pieusement le topos du bouclier, mais la précaution narrativisante (récit des étapes de

---

1. Entre les deux, Zola pratique assez systématiquement une focalisation de principe ou de façade que j'appellerais volontiers *pseudo-focalisation,* se donnant le prétexte, bien étudié par Philippe Hamon, d'un personnage-spectateur, puis excédant le plus souvent la vraisemblance de cette mise en scène.
2. L'idée reçue d'une abondance descriptive dans l'épopée vient sans doute de l'habitude qu'avaient les poéticiens classiques d'appeler « description » toute espèce d'épisode plus ou moins décoratif ou distractif et étranger à la marche générale de l'action, comme les Jeux funèbres.

la fabrication) y disparaît, et la description y fait donc pause – même si l'objet décrit est à son tour l'instrument d'une narration au second degré : simple animation du tableau comme chez Quintus, ou véritable action comme chez Virgile, où le bouclier d'Énée « raconte » l'histoire de ses descendants, et notamment la bataille d'Actium : il y a bien là une narrativité, mais interne à l'objet décrit, et qui n'efface pas la pause [1]. Elle ne l'effacerait que si le narrateur insistait sur l'activité perceptive du spectateur, et sur sa durée, ce qui nous ramènerait à la narrativisation par focalisation : il y a un peu de cela chez Virgile.

Bref, toute description ne fait pas pause ; mais d'autre part certaines pauses sont plutôt digressives, extradiégétiques, et de l'ordre du commentaire et de la réflexion plutôt que de la narration : pour viser gros, citons les chapitres-essais qui ouvrent chacun des livres de *Tom Jones,* ou les dissertations historico-philosophiques de *Guerre et Paix.* On ne peut dire ici, comme pour la pause descriptive, que le récit s'attarde en immobilisant le temps de son histoire pour parcourir son espace diégétique : il s'interrompt plutôt lui-même pour céder la place à un autre type de discours [2]. On voit bien, j'espère, la difficulté qu'il y aurait à tenir compte de telles parenthèses dans une mesure de la vitesse du récit *par rapport à l'histoire.*

Reste pourtant que leur présence modifie le tempo narratif (pour filer abusivement la métaphore musicale : davantage à la manière d'un point d'orgue qu'à celle d'un *rallentendo*), et qu'il vaudrait peut-être mieux faire une place, dans son étude, à ce cinquième type de mouvement que serait la digression réflexive : le moins qu'on puisse dire est qu'elle ne manque pas dans la *Recherche.* Reste aussi que, si la distinction entre ces deux types est parfaitement nette dans son principe, elle est souvent malaisée dans la pratique et dans le détail. Auquel appartient, par exemple, cette phrase de la *Chartreuse :* « Clélia était une petite sectaire de libéralisme » ?

---

1. *Énéide,* VIII; *Suite d'Homère,* V; cf. R. Debray-Genette, 1980.
2. C'est dire que je vois une différence plus marquée entre le discours commentatif et le discours narratif qu'entre celui-ci et le discours descriptif; ou plutôt, le descriptif (dans un récit) n'est pour moi qu'un aspect ou une modulation du narratif. Je l'ai déjà dit, mais ce point, nous le verrons, a été mal perçu.

VI

Le chapitre sur la fréquence n'a guère attiré de critiques, si ce n'est celle, incidente et déjà évoquée, de van Rees. Dorrit Cohn, qui ne trouve guère d'apport original dans les deux premiers, qualifie fort indulgemment celui-ci de « *special and outstanding genettean preserve* [1] ». Peut-être faudrait-il rendre un peu plus justice à l'étude décisive, dans l'ordre critique, de J. P. Houston, qui dix ans plus tôt avait mis le doigt au bon endroit, c'est-à-dire sur l'importance de l'itératif proustien [2]. J'ai peu à ajouter ici sur ce sujet, sauf à répéter que Proust n'a nullement inventé ce type de récit, mais qu'il est le premier, ou plutôt le second après le Flaubert de *Bovary* [3], à l'avoir émancipé de la subordination fonctionnelle (à l'égard du singulatif, bien sûr), où le tenait le régime narratif du roman classique. Émancipation qui va jusqu'à un renversement fonctionnel complet dans la forme dite pseudo-itératif (où un événement manifestement singulier est grammaticalement converti en itératif), et dans l'illustration d'une norme itérative par un événement singulier donné pour exemplaire (« ainsi une fois... ») ou comme exceptionnel (« Une fois, pourtant... »).

Philippe Lejeune [4] indique très justement que le récit autobiographique, dès Rousseau ou Chateaubriand, recourt à l'itératif davantage que le récit de fiction, surtout (et tout naturellement) dans l'évocation des souvenirs d'enfance. L'importance de l'itératif tiendrait donc chez Proust à l'imitation du modèle autobiographique, et/ou à la part réelle d'autobiographie, mais il faut se rappeler que cette importance ne marque pas seulement *Combray* ou *Balbec I*, mais aussi bien *Un*

---

1. *Loc. cit.*
2. La traduction française s'en trouve désormais dans le recueil *Recherche de Proust,* Seuil, 1980.
3. Parfois méconnu comme tel, voire incompris, victime de l'incompétence narrative de certains lecteurs : faute sans doute de savoir décoder un itératif, Sartre semble avoir cru toute sa vie qu'Emma ne fait l'amour que deux fois : une avec Rodolphe, une avec Léon (*L'arc* 79, p. 40). Sans doute Flaubert aurait-il dû se fendre d'un récit par « baisade »... Sartre n'était pourtant pas précisément le plus stupide des lecteurs – le plus *prévenu,* peut-être : il ne lui fallait pas qu'Emma fût *vraiment* sensuelle.
4. 1975, p. 114.

amour de Swann, qui n'a plus rien d'un « souvenir d'enfance ». Lejeune ajoute que certains chapitres du livre III des *Mémoires d'outre-tombe* (vie à Combourg) procèdent, comme l'évocation du dimanche à Combray, par combinaison des diachronies interne et externe, mêlant le cours d'une journée, le passage des saisons et le vieillissement du héros. C'est, me semble-t-il, beaucoup moins poussé que chez Proust, mais on sait tout ce que celui-ci retrouvait chez Chateaubriand de son propre régime mémoriel – et donc narratif?

D'autre part, Danièle Chatelain trouve des exemples d' « itération interne » (*Discours du récit,* p. 150) dans plusieurs scènes de romans classiques (Balzac, Flaubert), et davantage encore chez Saint-Simon. La parenté est encore ici évidente, mais il ne faudrait pas trop – comme je l'ai fait moi-même à propos de la matinée Guermantes – affecter à l'itération interne ce qui ressortit plus simplement, et plus naturellement, à l'imparfait descriptif. La célèbre description de la mer au matin dans les *Jeunes Filles en fleurs* offre, concentrée en deux pages [1], une bonne occasion de distinguer ces deux formes, et aussi de distinguer l'itération interne (« A tous moments, tenant la serviette raide et empesée... ») et l'itération externe (en l'occurrence, proleptique) : « Fenêtre à laquelle je devais ensuite me montrer chaque matin, etc. »

Un dernier mot pour atténuer le parti pris formaliste de dernière section (« Le jeu avec le temps ») : la figure centrale du traitement proustien de la temporalité narrative est sans doute ce que j'ai nommé *syllepse* – à propos de l'itératif, mais on pourrait en dire autant des structures ordinales caractéristiques, entre autres, de *Combray,* qui opèrent un regroupement thématique des événements au mépris de leur succession chronologique « réelle » – c'est-à-dire, bien sûr, indiquée cependant comme telle par le texte, ou inductible de tel ou tel indice, comme l'âge et les occupations du héros. Syllepses temporelles, donc, et la réminiscence, à sa manière, en est une, vécue. Mais la métaphore est (en ce sens) une syllepse par analogie, ce qui lui permet, comme on sait, de *figurer* la réminiscence. On pourrait donc avoir dans la syllepse ce que Spitzer aurait appelé l'*étymon* stylistique proustien [2].

---

1. Pléiade, I, p. 672-673.
2. J'évoquais page 146 l'hypothèse d'un récit « anaphorique »; cas particulier du singulatif, qui raconterait un événement répétitif aussi souvent qu'il se serait produit. Shlomith Rimmon, 1983, p. 57, en trouve un joli exemple au chapitre XX du *Quichotte,* où Sancho entreprend de rendre compte brebis par

VII

Le choix du terme *mode* pour regrouper les questions relatives aux divers procédés de « régulation de l'information narrative » était commode et, me semble-t-il, légitime, malgré le caractère évidemment métaphorique du paradigme *temps/mode/voix*. Son véritable inconvénient a surgi après coup, lorsqu'il m'a fallu [1] insister sur l'opposition, vraiment incontournable, entre récit et représentation dramatique, que l'on ne peut guère désigner autrement que comme les deux *modes* fondamentaux de la « représentation » verbale (ces guillemets sont de protestation, et j'y reviens à l'instant). D'où cet embarras déjà signalé [2], d'un terme unique pour deux notions distinctes et emboîtées, le *mode* au sens de *Discours du récit* étant un des aspects du fonctionnement du *mode* au sens d'*Introduction à l'architexte*. Je plaiderai, comme la femme au chaudron, d'abord que je n'avais pas le choix, le mot s'imposant dans les deux cas ; ensuite que j'ai bien fait, car il se trouve que les questions du mode au sens étroit sont les plus caractéristiques du mode narratif au sens large, et en outre celles où se retrouve comme en abyme, puisque le récit est presque [3] toujours un genre mixte, l'opposition entre ses aspects purement narratifs (diégésis) et, par dialogue (mimésis au sens platonicien), ses aspects dramatiques. La confusion de termes est donc ici fort significative, et à quelque égard bienvenue.

J'ai (re)dit « régulation de l'information narrative », bien que cette

---

brebis de la traversée en barque du Guadiana par un troupeau de trois cents têtes. Don Quichotte l'interrompt au nom des droits (et devoirs) de la synthèse itérative : « Fais état qu'il les passa toutes, et ne t'amuse pas d'aller et venir de cette façon, car tu n'achèveras pas de les passer en un an. » Sancho, qui n'a lu ni Héraclite ni van Rees, ne trouve pas à objecter que les trois cents passages n'étaient pas tout à fait identiques, et perd le fil de son conte.

1. 1979, *passim*.
2. 1982, p. 332.
3. Presque : cette réserve m'est occasion de corriger une bévue de l'*Architexte*, où j'excluais (p. 28) toute possibilité d'un long récit (épopée ou roman) sans dialogue. La possibilité est pourtant évidente, et le principe de Buffon devrait inciter à la prudence : « tout ce qui peut être est », et il n'y a pas (sauf nouvelle erreur) une seule ligne de dialogue dans les *Mémoires d'Hadrien*.

formule d'allure un peu bien technicienne fasse parfois grincer des dents, dont les miennes. J'en arracherai deux ou trois en précisant que j'emploie *information* pour ne pas employer *représentation,* qui me semble, malgré son succès, un terme hypocrite, compromis bâtard entre *information* et *imitation.* Or, pour des raisons mille fois exposées (et pas seulement par moi), je ne crois pas qu'il existe d'imitation dans le récit, parce que le récit, comme tout ou presque en littérature, est un acte de langage, et qu'il ne peut donc y avoir davantage d'imitation dans le récit en particulier qu'il n'y en a dans le langage en général [1]. Un récit, comme tout acte verbal, ne peut qu'*informer,* c'est-à-dire transmettre des significations. Le récit ne « représente » pas une histoire (réelle ou fictive), il la *raconte,* c'est-à-dire qu'il la signifie par le moyen du langage – exception faite pour les éléments *déjà verbaux* de cette histoire (dialogues, monologues), qu'il n'imite pas non plus, non certes ici parce qu'il ne le peut pas, mais simplement parce qu'il n'en a pas besoin, pouvant directement les reproduire, ou plus exactement les transcrire. Il n'y a pas de place pour l'imitation dans le récit, qui est toujours en deçà (récit proprement dit) ou au-delà (dialogue). Le couple *diégésis/mimésis* est donc boiteux, à moins que l'on ne veuille bien, comme faisait Platon, lire *mimésis* comme un équivalent de *dialogue,* avec le sens, non d'*imitation,* mais de transcription, ou – terme le plus neutre et donc ici le plus juste – de *citation.* Ce n'est évidemment pas ce que connote pour nous le mot grec, qu'il faudrait peut-être (à moins qu'on ne se décide à parler français) remplacer par *rhésis.* Dans un récit, il n'y a que *rhésis* et *diégésis* – on dit ailleurs, et fort clairement, texte de personnages et texte de narrateur. C'est un peu ce qu'essayait de dire mon opposition entre « récit de paroles » et « récit d'événements », mais ces deux oppositions – j'y reviendrai – ne se recouvrent pas exactement.

Je ne regrette donc pas, malgré la maladresse des termes, d'avoir ainsi monnayé la catégorie de la *distance,* c'est-à-dire de la modulation quantitative (« combien? ») de l'information narrative – la *perspective* en commandant de son côté la modulation qualitative : « par quel canal? »

---

1. L'amateur d'étymologies se consolera peut-être à l'idée que lat. *dico* s'apparente à gr. *deiknumi,* et donc (?) que *dire, c'est montrer.* Je crains toutefois que cela ne figure plutôt l'incapacité originaire du langage à « représenter » ce qu'il désigne sans l'accompagnement d'un geste : *pour plus de sûreté, montrez du doigt ce dont vous parlez.*

VIII

Cette étude de la distance modale était donc essentiellement critique, à l'égard de la notion ancienne de *mimésis* et surtout de son équivalent moderne de *showing*, et par conséquent à l'égard des couples oppositionnels qui les comportent. Cet aspect négatif, assez proche de celui qui inspire la *Rhetoric of Fiction* de Wayne Booth, n'était sans doute pas assez clairement marqué, puisque certains lecteurs s'y sont trompés, comme Mieke Bal, qui me reproche [1] de consacrer quelques pages à une catégorie « superflue ». Je la juge également telle, mais son immense succès à diverses époques rendait bien nécessaire une discussion, qui eût seulement gagné à plus de netteté.

Il serait d'ailleurs erroné de croire que la valorisation inhérente à ce couple ait toujours fonctionné dans le même sens, ou de la même façon. D'abord, les partisans de la mimésis ne mettent pas toujours sous ce terme, ou ses équivalents, le même type d'attitude narrative : Susan Ringler montre bien comment, à un demi-siècle de distance, Lubbock et Chatman glorifient au nom du *showing* deux textes aussi différents d'allure que *lesAmbassadeurs* et *The Killers* [2], et l'on peut aujourd'hui s'étonner de voir le premier appliquer la formule « l'histoire se raconte d'elle-même » à un style narratif aussi indiscret que celui de James [3]. Ensuite, la valorisation du réalisme (puisque, d'une manière ou d'une

1. 1977, p. 26-28.
2. « Chatman désigne *The Killers* comme " showing " parce que ce texte satisfait à ses normes de la fiction réaliste, Lubbock désigne *LesAmbassadeurs* parce qu'il satisfait les siennes » (1981, p. 28). La même S. Ringler s'est penchée sur l'origine du couple *telling/showing*, que tout le monde, explicitement ou, comme moi p. 185, implicitement, attribue à l'école jamesienne. Elle montre qu'il ne figure en fait ni chez James, ni chez Lubbock ni chez Beach, et suppose que ses introducteurs pourraient avoir été Wellek et Warren. Mais il ne s'agit, bien sûr, que des termes.
3. Application à vrai dire indirecte : dans ses deux occurrences les plus caractéristiques (*The Craft of Fiction*, p. 62 et 113), la formule vise Flaubert et Maupassant. La seconde est d'ailleurs nuancée (« L'histoire *semble* se raconter elle-même »), mais la première est beaucoup plus absolue, et franchement normative : « L'art de la fiction ne commence que lorsque le romancier conçoit son histoire comme un objet à *montrer*, à exhiber de telle sorte qu'elle se racontera d'elle-même. »

autre, c'est toujours de cela qu'il s'agit) a été périodiquement contrebattue par la valorisation inverse : Platon contre Aristote (je sais); Walzel et Friedemann contre Spielhagen; Forster, Tillotson, Booth contre James, Beach [1], Lubbock, etc. Mon propos n'est pas tant de m'associer à cette contre-valorisation (j'apprécie autant Flaubert, James ou Hemingway que Fielding, Sterne ou Thomas Mann [2]), que de contester la base même du débat, ou de la déplacer : encore une fois, la seule équivalence présentable de *diégésis*/*mimésis* est *récit*/*dialogue* (mode narratif/mode dramatique), ce qui interdit absolument de le traduire par *raconter*/*montrer*, car ce dernier verbe ne peut guère légitimement s'appliquer à une citation de paroles.

L'opposition *diégésis*/*mimésis* conduit donc à la répartition événements/paroles, où elle se réfracte sur des bases plus saines : dans le récit de paroles, selon les degrés de littéralité dans la reproduction des discours; dans le récit d'événements, selon le degré de recours à certains procédés (ou, de façon moins délibérée, de présence de certains traits) générateurs de l'*illusion mimétique*. Ces traits sont, me semble-t-il, et peut-être dans un ordre d'efficacité croissante :

1. le prétendu effacement de l'instance narrative – à quoi l'exemple de Proust, invoqué p. 187-188, apporte au moins une nuance, et peut-être un démenti –, et qui renvoie à un fait de voix [3];

2. le caractère détaillé du récit, qui renvoie, lui, à un fait de vitesse : il va de soi qu'un récit détaillé, en tempo de « scène », donne au lecteur une impression de présence plus grande qu'un sommaire rapide et lointain comme le deuxième chapitre de *Birotteau*. « C'est à cette multitude de petites choses, disait Diderot, que tient l'illusion [4] »;

3. enfin et peut-être surtout, ces détails feront d'autant plus « illusion » qu'ils apparaîtront comme fonctionnellement inutiles : c'est le fameux « effet du réel » de Roland Barthes, dont la fonction esthétique (car l'absence de fonction pragmatique [5] dégage une

---

1. Dont le livre *The XXth Century Novel,* 1932, s'ouvre sur un chapitre-manifeste intitulé « Exit Author ». A quoi W. Kayser répondra avec fermeté, et justesse (je sais) : « La mort du narrateur est la mort du roman. »
2. Pour être tout à fait honnête, ce n'est pas vrai.
3. M. Bal (1977, p. 26) m'attribue implicitement la formule « informateur-information = C, que je ne présente p. 187 que pour le rejeter, dans un discours indirect libre dont je croyais, à tort, l'ironie perceptible.
4. *Éloge de Richardson,* Garnier, p. 35.
5. J'entends ici (comme dans *Palimpsestes*) par *pragmatique* ce qui se rapporte à l'action. Les fonctions (par excellence) selon Propp ou selon le Barthes de l'*Introduction à l'analyse des récits* sont des fonctions pragmatiques.

fonction d'un autre ordre) avait été soulignée par George Orwell dans son étude sur Dickens : « La marque suprême et infaillible du style de Dickens est le détail inutile *(unnecessary detail)*... La touche infaillible de Dickens, ce à quoi nul autre n'aurait pensé, c'est [dans l'histoire du petit garçon qui avait avalé le bracelet de sa sœur, des *Pickwick Papers*] cette épaule d'agneau rôtie au four sur un lit de pommes de terre. En quoi est-ce que cela fait avancer l'histoire? La réponse est : en rien. C'est une chose complètement inutile, une petite fioriture au bord de la page; mais ce sont justement ces fioritures qui créent le climat propre à Dickens... L'unité du roman en souffre, mais cela n'a pas beaucoup d'importance, parce que Dickens est manifestement un écrivain chez qui les parties sont plus grandes que le tout. » De son côté, Michael Riffaterre note à propos d'un vers de Shakespeare [1] ces deux traits, pour lui fondamentaux, d'un vers « réaliste » : « D'abord il est précis [c'est mon trait 2 du récit détaillé]; et, en second lieu, il dépeint une action sans en indiquer les causes ou les buts, de sorte que nous croyons voir devant nous la chose même. »

L'accord de ces trois auteurs (je veux dire Orwell, Barthes et Riffaterre) qu'autrement tout sépare, me semble signer une évidence – celle-là même que le sens commun exprime couramment d'un « Ça ne s'invente pas [2] ». Mais, bien entendu, l'a-fonctionnalité pragmatique de ce genre de détails (la côte de mouton de *Pickwick,* ou le baromètre d'*Un cœur simple,* ou la grève bruissante de l'*Iliade*) peut toujours être constestée par les jusqu'auboutistes du fonctionnalisme, qui en ont d'ailleurs une vue étroite, puisqu'ils se refusent à admettre une fonction autre que pragmatique : ainsi, Mieke Bal [3] explique-t-elle que la grève de l'*Iliade* doit être bruissante *pour que* la nature, couvrant la voix du vieillard ou se joignant à sa prière, se solidarise avec Chrysès... De

---

1. *And maidens bleach their summer smocks (Love's Labour Lost)*; Riffaterre, 1982, p. 102.
2. L'usage de ces effets de réel n'est certainement pas réservé à la littérature. Bouvard et Pécuchet lisant Walter Scott, « sans connaître les modèles, trouvaient ces peintures ressemblantes, et l'illusion était complète » (chap. V); mais Valéry (*Œuvres,* II, p. 622) observe de même qu'en peinture, bien des portraits nous paraissent « ressemblants », dont le modèle ne nous est pas (autrement) connu : c'est qu'ils portent des signes de réalisme du genre traits accusés, strabismes, verrues, que nul, croit-on, n'irait inventer. A la limite, pour « faire vrai », il suffit de faire laid. Inversement, une Vierge de Raphaël ne nous paraît jamais ressemblante (à qui?), alors que peut-être il lui arrive d'être le portrait fidèle d'une jeune Romaine aux traits purs.
3. 1977, p. 93.

telles motivations (car c'en est une, ou je ne m'y connais pas) relèvent de la même horreur du vide sémantique, ou incapacité à supporter la contingence, que les plus folles (mais toujours faciles) supputations cratylistes [1].

Emportée par son élan hyperfonctionnaliste, Mieke Bal va d'ailleurs jusqu'à m'attribuer « l'ancien préjugé qui refuse à la description toute fonction proprement narrative » (p. 26). Outre que cette position serait, comme elle le reconnaît elle-même, contraire à ce que j'ai écrit ailleurs [2], il me semble qu'il y a là une conception terriblement étroite du « proprement narratif » : quand la description ne servirait qu'à « faire vrai », voire à « faire joli », ce ne serait déjà pas rien. Mais enfin je n'ai jamais dit cela : toute description, encore une fois, n'est pas effet de réel ; et réciproquement, tout effet de réel n'est pas nécessairement descriptif, exemple : « Il se moucha bruyamment et dit... », ou le vers de Shakespeare cité par Riffaterre. Un détail « inutile à l'action » peut fort bien être... une action.

Une objection plus sérieuse me semblerait être celle-ci : *sur le moment,* c'est-à-dire à la première lecture, rien ne dit si le détail trouvera ou non plus tard sa fonction pragmatique : le baromètre de Mme Aubain pourrait un jour tomber sur Virginie, et la tuer [3]. Son rôle d'opérateur de mimésis ne peut donc être que *rétroactif,* en seconde lecture ou en remémoration ultérieure, ce qui est peu compatible avec l'effet d'immédiatcté qu'il cst censé viser. Cette objection n'est pas stupide (ct pour causc), mais il me semble aussi qu'une certaine compétence narrato-stylistique peut aider le lecteur à percevoir intuitivement le caractère pragmatique ou non de tel détail. Il y a du code là-dedans, et bien sûr « on doit savoir » qu'un baromètre, ou même un pistolet, ne peut guère avoir la même fonction chez Flaubert que chez Agatha Christie.

---

1. On m'a aussi suggéré que la grève bruissante serait ici, comme plus tard pour Démosthène, l'adjuvant de quelque exercice orthophonique...
2. *Figures II,* p. 56-61. Mais la formule *ancilla narrationis* est parfois interprétée à contresens par un étrange glissement de l'ancillaire au superflu. Ainsi, L. Holmshawi. : « La théorie (de Genette) prive la description de toute fonction véritablement narrative. La description est accessoire, superflue, visant un " effet de réel ", condamnée à un rôle ancillaire dans le récit » (1981, p. 23). L'*ancilla* a pourtant montré, et plus d'une fois, sa capacité, sinon sa vocation, à devenir *serva padrona.*
3. « (D'après Tchekhov) si au début d'une nouvelle on dit qu'il y a un clou dans le mur, à la fin c'est à ce clou que le héros doit se pendre » (B. Tomachevski, « Thématique », in *Théorie de la littérature,* p. 282).

IX

La section consacrée au « récit de paroles » (p. 189-203) pourrait avantageusement être rebaptisée ainsi : « Des modes de (re)production du discours et de la pensée des personnages dans le récit littéraire écrit. » *(Re)production* voudrait indiquer le caractère fictif ou non du modèle verbal selon les genres : l'Histoire, la biographie, l'autobiographie sont censées reproduire des discours effectivement tenus ; l'épopée, le roman, le conte, la nouvelle sont censés feindre de reproduire, et donc en réalité *produire* des discours inventés de toutes pièces. *Censés :* telles sont les conventions génériques, qui ne correspondent pas nécessairement à la réalité, bien sûr : Tite-Live peut forger une harangue, Proust peut attribuer à l'un de ses héros quelque phrase effectivement prononcée devant (ou derrière) lui par quelque personne réelle. Si l'on accepte de négliger ces entorses, la production de discours propre à la fiction est une reproduction fictive, qui repose fictivement sur les mêmes contrats et qui pose fictivement les mêmes difficultés que la reproduction authentique. Mêmes contrats : par exemple, des guillemets indiquent (engagent à) une citation littérale, une complétive au style indirect autorise à plus de liberté, etc. Mêmes difficultés : la (re)production littérale peut (être censée) avoir subi une traduction, comme les discours des chefs romains chez Polybe ou Plutarque, ou des héros de la *Chartreuse* ou de l'*Espoir,* ce qui entame quelque peu sa littéralité, et dans tous les cas le « passage » de l'oral à l'écrit neutralise presque irrémédiablement les particularités de l'élocution : timbre, intonations, accent, etc. *Presque :* le romancier ou l'historien peut recourir à des palliatifs externes (description du timbre et de l'intonation) ou internes : notations phonétiques, comme chez Balzac, Dickens ou Proust. Le terme de (re)production n'est donc pas à prendre lui-même trop littéralement – et certaines de ses limitations porteraient encore sur les formes orales du récit : nul conteur, par exemple, ne peut reproduire rigoureusement le timbre d'un de ses personnages. Le contrat de littéralité ne porte jamais que sur la *teneur* du discours.

Ces restrictions, je le répète, n'affectent que l'un des modes de la (re)production, celui que j'ai nommé « discours rapporté ». Les deux autres (discours « transposé » et « narrativisé ») sont très officiellement en deçà d'une telle problématique, puisqu'ils ne visent pas au même « mimétisme », c'est-à-dire à la même littéralité. Cette tripartition, d'ailleurs courante aux termes près, n'a pas été contestée en elle-même, mais certains de ses aspects ont été critiqués par Dorrit Cohn [1].

Si on laisse de côté une discordance purement terminologique sur laquelle je reviendrai, les principales critiques de Dorrit Cohn sont au nombre de trois. La première est que je n'ai pas assez développé l'étude de ce que j'appelais « discours immédiat », et qu'elle propose, très justement, de baptiser plutôt *monologue autonome* : il s'agit ici du type de discours traditionnellement nommé, depuis Dujardin, « monologue intérieur ». Cette critique est évidemment fondée : je ne consacre à cette forme qu'à peine deux pages (193-194). La raison en est, comme je l'ai déjà dit, la rareté de ce procédé chez Proust. Mais je me console facilement de cette lacune en considérant l'excellent sixième chapitre de *la Transparence intérieure,* qui la comble mieux que je n'aurais jamais su le faire : je ne puis donc qu'y renvoyer le lecteur.

Deuxième insuffisance signalée et réparée par Dorrit Cohn : le trop bref paragraphe consacré dans *Discours du récit* (p. 192) au « style indirect libre », que je présente comme une simple « variante » du style indirect, et dont je me borne à signaler, après d'autres, la double ambiguïté : confusion entre dicours et pensée, entre personnage et narrateur. Ici encore, la raison essentielle de ma discrétion est la relative rareté de cette forme chez Proust. Une autre raison fera aujourd'hui sourire les spécialistes : il me semblait que le sujet avait été suffisamment traité du point de vue grammatical et stylistique depuis sa « découverte » au tournant du siècle (je citais en tout ct pour tout le livre de Marguerite Lips, qui me paraît toujours la contribution la plus satisfaisante de l'école genevoise). Depuis 1972, la bibliographie du sujet s'est considérablement augmentée – entre autres, du livre de Roy Pascal (1977) et du chapitre III de Dorrit Cohn, et d'une vaste controverse suscitée par un article d'Ann Banfield (1973). Je n'ai pas lieu de revenir ici sur cette longue histoire qui n'est probablement pas close, et qui a vu s'exercer et s'affronter sur une forme grammatico-stylistique plusieurs écoles linguistiques (le psychologisme vosslérien, le structuralisme saussurien, le néo-hégélianisme bakhtinien, et diverses tendances de la grammaire transformationnelle) entre lesquelles je ne me soucie pas d'arbitrer. On trouvera dans la bibliographie fort sélective de cet opuscule une bonne vingtaine de titres s'y rapportant, et pour un état (presque) présent de la question je renvoie à

1. 1981*a* et *b*.

la mise au point de Brian McHale (1978). Pour y ajouter un très léger grain de sel, je me bornerai à deux ou trois remarques. Quant à la description proprement grammaticale du phénomène, il me semble que, sur ce point comme sur quelques autres, la grammaire transformationnelle n'a apporté qu'un encombrement méthodologique mal justifié par son apport effectif, que l'essentiel (concordance des temps, conversion des pronoms, absence de rection, maintien des déictiques de proximité, de l'interrogation directe, de certains traits interjectifs et expressifs) était dit depuis Bally et Lips, et qu'aux démarches près le consensus est très large. La concordance des temps, toutefois, n'est probablement pas une règle absolue, si tant est qu'il en existe une seule dans un type aussi ouvert à l'initiative stylistique. L'expression d'une opinion relevant, ou croyant relever, d'un savoir, ou d'une vérité intemporelle, peut entraîner un passage au présent gnomique, ou épistémique. Ainsi, dans *Bouvard et Pécuchet* : « Ils voulaient apprendre l'hébreu, qui *est* la langue mère du celtique, à moins qu'elle n'en *dérive* » ou « La justice administrative était une monstruosité, car l'administration, par des faveurs et des menaces, *gouverne* injustement ses fonctionnaires ». Marie-Thérèse Jacquet, à qui j'emprunte ces exemples, a bien mis en relief l'importance de cette forme dans *Bouvard*. Mais son terme de « style direct intégré » me semble tirer abusivement vers le style direct cette forme intermédiaire que je préférerais maintenir dans la sphère du discours indirect libre, par un terme tel que « discours indirect libre sans concordance des temps ». Il faudrait élargir l'enquête sur ce tour dont Flaubert n'a sans doute pas le monopole, même si le contexte encyclopédicomaniaque de *Bouvard* s'y prête particulièrement.

Quant à la répartition stylistique, malgré quelques nuances et exceptions aussi marginales qu'évidentes, le caractère essentiellement littéraire du procédé me semble incontestable; Ann Banfield veut pousser ce trait jusqu'à faire de l'indirect libre le signe d'un mode non communicatif du langage, avec exclusion de la première et surtout de la deuxième personne [1], ce qui fait bon marché de son incontestable présence en narration autodiégétique; exemple (célèbre) chez Dickens : " *My dream was out; my wild fancy was surpassed by sober*

---

1. Dans son récent livre (1982), Banfield maintient contre toutes les objections et accentue jusqu'à la caricature une thèse encore plus extrême selon laquelle le style indirect libre, forme étrangère et même, selon elle, impossible à la langue parlée *(unspeakable),* révélerait, comme les énoncés au passé simple (eux aussi « indicibles »), une absence pure et simple du narrateur. J'y reviendrai au chapitre XV.

reality; Miss Havisham was going to make my fortune on a grand scale [1] ", dont la suite montre de manière éclatante qu'il s'agit là des pensées (erronées) du héros, et non du narrateur. Autre exemple chez Balzac, cette fois dans la bouche d'un personnage [2] qui rapporte son propre discours antérieur : « Je lui avais dit des choses si touchantes : " J'étais jalouse, une infidélité me ferait mourir... " »

Quant à sa répartition historique, ici encore à quelques exceptions près (La Fontaine, Rousseau), elle correspond très clairement à l'aire du roman « moderne » psycho-réaliste, de Jane Austen à Thomas Mann, et plus précisément à ce mode narratif que j'appelle « focalisation interne », dont l'indirect libre est à coup sûr l'un des instruments favoris. Je ne suis heureusement pas le premier à le noter : aux termes près, Franz Stanzel le faisait dès 1955. Cette remarque mord évidemment sur un dernier aspect, pour nous l'essentiel, qui est la fonction narrative de l'indirect libre. On a beaucoup soutenu (les vosslériens jadis, et aujourd'hui Cohn, Pascal, Banfield) que ce « style » était fondamentalement mieux accordé à l'expression des pensées intimes qu'à la citation des paroles prononcées. L'affinité est peut-être relativement plus grande, mais elle ne me semble nullement consubstantielle, et l'œuvre de Flaubert abonde en éclatants contre-exemples. On a également beaucoup insisté (les vosslériens encore, Hernadi, Pascal) sur la valeur d'empathie, entre narrateur et personnage, de la fameuse ambiguïté ; à cela, Bally et Bronzwaer opposent justement la présence presque systématique d'indices désambiguïsants, et l'usage fréquemment ironique (Flaubert, Mann) de ce procédé [3]. Les énoncés définitivement indécidables [4] sont effectivement fort rares, et Banfield [5] dit très bien que de telles ambiguïtés renvoient moins à une identité de pensée entre personnages et narrateur qu'à un choix impossible entre deux interprétations *pourtant incompatibles,* comme dans les fameux dessins à illusion analysés par Gombrich : de ce que le texte ne dit pas toujours si c'est le personnage ou le narrateur qui parle,

---

1. *Great Expectations,* chap. XVII.
2. Hortense Hulot dans *La Cousine Bette,* chap. LXVI.
3. Que de telles ironies ne soient pas toujours perçues par des lecteurs incompétents ou malveillants fait partie des risques du métier : E. Lerch suppose, un peu hyperboliquement mais non sans raison, que *Bovary* dut son procès en immoralité à des pensées d'Emma à l'indirect libre, tendancieusement attribuées à Flaubert.
4. Exemple (évidemment forgé) : « Je résolus d'épouser Albertine : j'étais décidément amoureux d'elle. » En revanche, un « J'étais *définitivement* amoureux d'elle » serait désambiguïsé (affecté à la seule naïveté du héros) par la suite du roman.
5. 1978*a*, p. 305.

il ne s'ensuit pas nécessairement qu'ils pensent la même chose. Le dernier point de controverse est celui de la capacité mimétique, ou aptitude à une (re)production littérale : ici encore, l'essentiel me semble échapper à toute discussion, à savoir que la capacité de l'indirect libre est ici inférieure à celle du direct, et supérieure à celle de l'indirect régi : « intermédiaire, dit bien McHale, non seulement du point de vue grammatical, mais aussi du point de vue mimétique ». Aussi Hernadi substitue-t-il à l'opposition traditionnelle diégésis/mimésis une gradation à trois termes où l'indirect libre, sous le nom de « narration substitutive », tient le milieu. McHale en propose une plus complexe, dont les sept degrés de « mimétisme » croissant s'étagent à peu près comme suit : 1. le « sommaire diégétique », qui mentionne l'acte verbal sans en spécifier le contenu, exemple (substitué par moi, comme les suivants) : « Marcel parla à sa mère pendant une heure »; 2. le « sommaire moins purement diégétique », spécifiant le contenu : « Marcel informa sa mère de sa décision d'épouser Albertine [1] »; ces deux premiers degrés correspondent à mon « discours narrativisé »; 3. « paraphrase indirecte du contenu » (discours indirect régi) : « Marcel déclara à sa mère qu'il voulait épouser Albertine »; 4. le « discours indirect (régi) partiellement mimétique », fidèle à certains aspects stylistiques du discours (re)produit : « Marcel déclara à sa mère qu'il voulait épouser cette petite garce d'Albertine »; 5. discours indirect libre : « Marcel alla se confier à sa mère : il fallait absolument qu'il épousât Albertine »; ces trois degrés correspondent à mon « discours transposé »; 6. discours direct : « Marcel dit à sa mère : Il faut absolument que j'épouse Albertine »; 7. « discours direct libre », sans signes démarcatifs, c'est l'état *autonome* du « discours immédiat » : « Marcel va trouver sa mère. Il faut absolument que j'épouse Albertine » (cette forme serait peu plausible chez Proust, mais elle est monnaie courante depuis Joyce); les deux derniers états correspondent à mon « discours rapporté ».

Cette répartition me semble fort judicieuse, et je m'y rallie très volontiers, à cette réserve près que le terme « discours direct libre » risque d'induire une symétrie un peu factice ou spécieuse entre les divers états des discours direct et indirect. Cette symétrie, déjà supposée par d'autres critiques [2], a été explicitée par Strauch, qui distingue dans chacun de ces types un état régi et un état non régi; cette distinction, évidemment pertinente pour l'indirect, ne l'est guère

1. Exemple réel chez Balzac : « Il exhala sa rage pendant dix minutes » (*La Cousine Bette,* chap. XX).
2. Voir McHale, 1978, p. 259.

pour le direct, qui n'est par définition jamais *régi*, mais seulement introduit par un verbe déclaratif et/ou signalé par des guillemets ou un tiret. Le « direct libre » n'est libre qu'en tant qu'il se dispense de ces marques sans incidence grammaticale, et donc sans véritable rection. Entendu ainsi, le terme est évidemment utile pour désigner les formes les plus émancipées, et caractéristiques du roman moderne, du dialogue et du monologue : *Ulysse* en est semé.

Une autre réserve porterait sur le caractère automatique et inévitable de cette gradation des effets mimétiques. Sa validité est plutôt celle d'une norme statistique, et admet selon les contextes bien des entorses, des exceptions et des renversements : le contrat de littéralité impliqué par l'emploi du discours direct n'est pas toujours respecté, et peut être dénoncé par le contexte narratif, et inversement l'allure de paraphrase peut dissimuler une citation littérale. On trouvera quelques illustrations de ce paradoxe dans l'article récent de Meir Sternberg (1982), utile mise en garde contre toute attitude dogmatique ou mécaniste en ce domaine.

X

La troisième critique de Dorrit Cohn [1] porte sur l'assimilation que je fais, au moins du point de vue de leur traitement narratif, entre discours et pensée, envisageant ici toute « vie psychique » comme si elle consistait en un discours intérieur. Cette critique est inséparable de son propre travail, qui a précisément pour objet de faire à la « représentation de la vie psychique » la place spécifique qu'elle mérite, et je ne puis donc y répondre sans dire un mot de son livre pour lui-même.

Je rappelle d'abord que pour Dorrit Cohn les trois techniques fondamentales de cette représentation sont le « psycho-récit » (*psycho-narration*), analyse des pensées du personnage assumée directement par le narrateur; le « monologue rapporté » (*quoted monologue*), citation littérale de ces pensées telles que verbalisées dans le discours intérieur, dont le « monologue intérieur » n'est qu'une variante plus autonome; enfin le « monologue narrativisé » (*narrated monologue*), c'est-à-dire relayé par le narrateur sous forme de discours indirect, régi ou libre. De toute évidence, et à l'extension près puisque Cohn ne

1. 1981*a*, p. 24 et *passim*.

s'occupe pas des discours effectivement prononcés, ses catégories et les miennes sont tout à fait convertibles, mais cette conversion fait apparaître trois différences.

La première porte sur les termes choisis : son « psycho-récit » est mon « discours narrativisé », son « monologue rapporté » est mon « discours rapporté », et son « monologue narrativisé » est mon « discours transposé ». J'avoue ne pas percevoir l'avantage de ce remaniement : « narrativisé » me semble trop fort (et par là trop près de -*récit*) pour désigner le discours indirect, et je persiste à le réserver aux formes (du genre « je décidai d'épouser Albertine ») qui traitent le discours ou la pensée comme un événement [1], conservant « transposé », dont la connotation grammaticale est claire, pour les discours indirects. La deuxième différence porte sur l'ordre adopté. Dorrit Cohn qualifie plusieurs fois son « monologue narrativisé » de mode *intermédiaire* : dès lors, je ne vois pas pourquoi elle le place en troisième position, et je préfère le laisser à la deuxième place qu'il occupe chez moi, dans ce qui est bien une gradation.

La troisième discordance tient à la séparation radicale qu'opère Dorrit Cohn entre récits « à la troisième » et « à la première personne », et au rôle stratégique primordial qu'elle attribue à cette séparation, qui commande les deux parties de son livre (I, La vie intérieure dans le récit à la 3ᵉ personne ; II, La vie intérieure dans le récit à la 1ʳᵉ personne), et qui l'amène dans une certaine mesure à traiter deux fois des mêmes formes, selon qu'elles se présentent dans une narration hétéro- ou homodiégétique. Il me semble pourtant que formellement, la situation narrative englobante ne change rien au statut du discours ou de l'état psychique évoqué. Je ne vois guère (hors la personne grammaticale, bien sûr) ce qui distingue par exemple l'*auto* (psycho) -*récit* du *psycho-récit*, le monologue auto-narrativisé du monologue (hétéro-) narrativisé. Je comprends surtout très mal pourquoi Dorrit Cohn rattache son étude du monologue autonome au récit à la première personne : *Ulysse* pris dans son ensemble n'est pas, que je sache, un roman à la première personne ; si c'est parce que le monologue de Molly Bloom est *en lui-même* à la première personne, cette raison ne vaut

---

1. Flaubert conseillait (lettre à A. Bosquet, *Corr.*, éd. Conard, V, 321) de « raconter » les *paroles* d'un personnage secondaire. Ce terme cautionne un peu notre « narrativisé », mais on ne sait à vrai dire s'il s'applique ici à la narrativisation proprement dite (comme lorsque, dans *Bovary*, « Vous n'avez pas raison, disait l'hôtesse, c'est un brave homme » devient « L'hôtesse prit la défense de son curé ») ou à un simple discours indirect, qui est son parti le plus fréquent : bref, s'il adopte ma terminologie ou celle de Dorrit Cohn. Voir Claudine Gothot-Mersch, 1983.

rien, car il ne l'est pas plus que les monologues rapportés (non autonomes) présents dans le roman hétérodiégétique classique, qu'elle traite justement dans sa première partie. Cette bizarrerie de répartition me semble tenir à une volonté erronée de répartir, c'est-à-dire à une surestimation du critère de personne [1]. Nous retrouverons cette vaste querelle à propos de la voix.

La quatrième et dernière différence tient, je l'ai dit et j'y reviens, à l'assimilation que j'ai faite et que Dorrit Cohn refuse à juste titre, entre « vie psychique » et discours intérieur. Cohn tient légitimement à faire leur place à des formes non verbales de vie intérieure, et j'ai certainement eu tort de ranger sous le terme de « *discours* intérieur narrativisé » un énoncé tel que « Je décidai d'épouser Albertine », dont rien n'assure qu'il corresponde à une pensée verbalisée. *A fortiori*, sans doute, pour quelque chose comme « Je tombai amoureux d'Albertine ». Mais j'observe que, des trois modes de représentation distingués par Cohn, seul le premier fait place à cette question; par définition, « monologue rapporté » et « monologue narrativisé » traitent la pensée comme un discours, chez elle comme chez moi (et encore une fois, c'est la raison pour laquelle « narrativisé » me semble ici mal choisi, ou plutôt mal placé). Seul le « psychorécit » peut s'appliquer par hypothèse [2] à une pensée non verbale (tomber amoureux d'Albertine, ou de toute autre, sans *se le dire*, voire sans en prendre conscience). Mais je dis bien : *peut*. Tomber amoureux d'Albertine, ou de sa voisine, *peut aussi* consister en un discours intérieur, et l'énoncé psycho-narratif, sur ce point, ne dit ni oui ni non, sauf peut-être lorsqu'il prend soin de marquer le caractère inconscient de l'état représenté : si un narrateur écrit « Marcel, *sans s'en apercevoir*, était tombé amoureux d'Albertine », il marque exceptionnellement que la phrase « Me voici amoureux d'Albertine » ne figure pas au discours intérieur de Marcel – ce qui n'assure pas encore l'absence d'un tel discours : Marcel peut « se dire » alors d'autres phrases – et particulièrement celle-ci : « Je ne suis *pas* amoureux d'Albertine », que le perspicace narrateur décode pour lui. Bref, la réserve justifiée de Dorrit Cohn sur une éventuelle vie

1. Dorrit Cohn reconnaît d'ailleurs plusieurs fois (p. 29, 167, 183, 194) l'identité de problèmes dans les deux types de situation narrative, et l'opposition capitale entre consonance et dissonance (du personnage au narrateur) joue le même rôle dans ses deux parties.
2. Il ne s'agit évidemment pas ici de prendre parti dans la poussiéreuse question de cours « Y a-t-il une pensée sans langage? », mais seulement de faire place à des formes de « représentation » qui ne tranchent pas cette question par la négative.

intérieure non verbalisée ne vaut que *partiellement* pour *une* de ses trois catégories. Chiffrons arbitrairement cette part à 1/2 : la réserve de Cohn vaut pour 1/6ᵉ de son propre système. Je n'en déduirai pas mesquinement que j'ai raison contre elle à 5/6ᵉ ; je conclurai plutôt que le récit de pensées (puisque c'est bien de cela qu'il s'agit) se ramène toujours et sans reste, soit, comme j'ai fait trop brutalement, à un récit de paroles, soit, comme j'aurais dû faire pour les cas où il ne pose pas *par son procédé même* ces pensées comme verbales, à un *récit d'événements.* Une fois de plus, le récit ne connaît que des événements ou des discours (qui sont une espèce particulière d'événements, la seule qui puisse être directement *citée* dans un récit verbal). La « vie psychique » ne peut être pour lui que de l'un, ou de l'autre.

A cette dichotomie brutale, Doležel et Schmid en ajoutent une autre, à laquelle j'ai déjà fait allusion : il n'y a et il ne peut y avoir dans un récit, disent-ils, que deux sortes de texte : du texte de narrateur (*Erzählertext*) ou du texte de personnage (*Personentext*). On peut être tenté de rabattre ces deux oppositions l'une sur l'autre, comme équivalentes : c'est ce que fait Pierre van den Heuvel. Mais ce n'est pas si simple : ma dichotomie est *par l'objet*, celle de Doležel est *par le mode*, et elles ne sont pas réductibles, car du récit d'événement peut être assumé par un personnage et du récit de paroles peut être assumé par le narrateur. Il vaudrait donc mieux dissocier les critères et les croiser dans un de ces tableaux à double entrée dont je n'ai pas encore eu l'occasion d'orner cette brochure. On y distinguerait le récit d'événements assumé par le discours de narrateur (récit primaire à narrateur extradiégétique), ou par le discours de personnage (récit second à narrateur intradiégétique, ou narrateur-personnage), le récit de paroles assumé par le discours de narrateur (discours narrativisé ou transposé), ou par le discours de personnage (discours rapporté ou transposé). Soit cette grille :

mode / objet	discours de narrateur	discours de personnage
événements	récit primaire	récit second
paroles	discours narrativisé et discours transposé	discours rapporté et discours transposé

On voit que j'ai porté le « discours transposé » (styles indirects) dans deux cases à la fois : j'avais hésité, et commencé d'envisager, triste

42

choix, une case intermédiaire. Mais tout compte fait, je crois que par sa voix « duelle », il a bien mérité cette double inscription.

D'autre part, persévérant dans l'erreur, je n'ai pas accordé ici de troisième rangée au récit de pensées. J'ai dit plus haut pourquoi, mais je tiens à le répéter : le récit ramène toujours les pensées soit à des discours, soit à des événements; il ne fait pas place à un troisième terme, et encore une fois ce manque de nuances, qui est son fait et non le mien, tient à sa propre nature verbale. Le récit, qui raconte des histoires, n'a affaire qu'à des événements; certains de ces événements sont verbaux; alors, exceptionnellement, il lui arrive, pour changer un peu, de les *reproduire*. Mais il n'a pas d'autre choix, et par conséquent nous non plus.

XI

Je ne reviens pas sur la distinction, aujourd'hui couramment admise, au moins dans son principe, entre les deux questions « Qui voit? » (question de mode) et « Qui parle? » (question de voix) – si ce n'est pour regretter une formulation purement visuelle, et donc trop étroite : la fin de la scène entre Charlus et Jupien, dans *Sodome I*, est bien focalisée sur Marcel, mais cette focalisation est auditive. Ce n'était pas la peine de substituer à grands frais *focalisation* à *point de vue* pour retomber ainsi aussitôt dans la même ornière; il faut donc évidemment substituer à *qui voit?* la question plus large *qui perçoit?* Mais la symétrie même entre les deux questions est peut-être quelque peu factice : la voix du narrateur est bien toujours donnée comme celle d'une personne, fût-elle anonyme, mais la position focale, quand il y en a une, n'est pas toujours identifiée à celle d'une personne : ainsi, me semble-t-il, en focalisation externe. Peut-être vaudrait-il donc mieux se demander, de manière plus neutre, *où est le foyer de perception?* – ce foyer pouvant ou non (j'y reviendrai) s'incarner en un personnage.

Ma critique des classifications antérieures (Brooks-Warren, Stanzel, Friedman, Booth, Romberg) porte évidemment sur la confusion qu'elles opéraient entre mode et voix, soit (Friedman, Booth) en baptisant « narrateur » un personnage focal qui n'ouvre pas la bouche [1], soit en

---

1. Il convient, dit justement Dorrit Cohn (1981*b*, p. 171), de « mettre un terme à l'habitude négligente (*sloppy*) qui consiste à qualifier les protagonistes de romans à focalisation interne, comme Stephen, Samsa ou Strether, de " narrateurs " de leur histoire ».

répertoriant des situations narratives complexes (mode + voix) sous la rubrique du « point de vue » : c'est évidemment le cas de Brooks-Warren, de Friedman et de Booth, mais à vrai dire beaucoup moins de Stanzel et de Romberg, à qui l'on peut seulement reprocher d'aligner comme équivalentes des différences de point de vue et des différences d'énonciation narrative.

Mais la confusion courante, et parfois grossière, entre mode et voix, focalisation et narration, est une chose ; autre chose est la mise en relation du mode et de la voix dans la notion plus complexe (synthétique) de « situation narrative ». Je reconnaissais (p. 205-206) pour légitime cette synthèse, mais je refusais, à juste titre, de l'envisager « ici », c'est-à-dire au titre du seul « point de vue ». C'était m'engager implicitement à l'envisager ailleurs, et cet engagement n'est pas tenu dans *Discours du récit*. J'essaierai plus loin de réparer cette omission.

L'étude des focalisations a fait couler beaucoup d'encre, et sans doute un peu trop : ce n'était jamais qu'une reformulation, dont le principal avantage était de rapprocher et de mettre en système des notions classiques telles que « récit à narrateur omniscient » ou « vision par-derrière » (focalisation zéro), « récit à point de vue, à réflecteur, à omniscience sélective, à restriction de champ », « vision avec » (focalisation interne), ou « technique objective [1], behaviouriste », « vision du dehors » (focalisation externe). Ma contribution consisterait plutôt dans l'étude de ces « altérations » au parti modal dominant d'un récit que sont la *paralipse* (rétention d'une information logiquement entraînée par le type adopté) et la *paralepse* (information excédant la logique du type adopté).

On a une ou deux fois relevé dans ces pages quelques confusions entre mode et voix, péché « prégenettien », comme dit Mieke Bal, que je devrais être le dernier à commettre – ou plutôt, si l'histoire a un sens, le premier à ne plus commettre. J'ai du moins péché par ellipse ou imprécision. D'abord, dans les exemples cités de focalisation multiple

---

1. L'importance de ce mode typiquement moderne a été, je pense, signalée pour la première fois en France par Claude-Edmonde Magny dans *l'Age du roman américain*, au chapitre « La technique objective ». Cette étude aujourd'hui méconnue, et que l'on pille souvent sans le dire et parfois sans le savoir, fut à bien des égards le point de départ de la narratologie française, stimulée à travers elle par la rencontre du roman américain et de la technique cinématographique. Son oubli dans la bibliographie de *Discours du récit* est tout à fait caractéristique, et d'autant plus injustifiable que, l'ayant lue et admirée dès sa première publication, je l'avais signalée en 1966 dans le dossier du nº 8 de *Communications*. Souvenir à éclipses.

(roman épistolaire, *l'Anneau et le Livre*), le changement de foyer s'accompagne manifestement, et j'aurais au moins dû le dire, d'un changement de narrateur, et la transfocalisation peut y apparaître comme une simple conséquence de la transvocalisation. Je ne connais d'ailleurs aucun exemple de transfocalisation pure, où la « même histoire » serait racontée successivement selon plusieurs points de vue mais par le même narrateur hétérodiégétique. Ce serait pourtant plus intéressant, car l'objectivité supposée de la narration y accentuerait, comme au cinéma, l'effet de discordance entre les versions : cela reste à faire, et de toute urgence. Ensuite, à propos de la focalisation externe chez Hammett, j'aurais pu préciser qu'elle fonctionne tantôt (*la Clef de verre, le Faucon maltais*) en narration hétérodiégétique, tantôt (*Sang maudit, Moisson rouge, l'Introuvable*) en narration homodiégétique : j'y reviendrai, mais c'est bien pour moi la preuve de l'autonomie relative des choix de mode par rapport aux choix de voix, et réciproquement. Même remarque à propos de la célèbre paralipse de *Roger Ackroyd* : Shlomith Rimmon [1] me reproche de citer ce roman comme exemple de focalisation sur le héros (meurtrier) « sans mentionner que le meurtrier focal est aussi le narrateur, alors que là se trouve évidemment la tricherie de ce roman ». Je ne partage pas ce point de vue : le truc consiste ici dans la paralipse, c'est-à-dire dans l'omission de l'information essentielle que devrait comporter la focalisation sur le meurtrier; le fait de lui confier la narration n'est qu'un moyen d'accentuer et, si l'on veut, d'assurer cette focalisation – et par conséquent cette paralipse [2]; et je persiste à penser qu'une focalisation interne hétérodiégétique bien marquée, comme dans *les Ambassadeurs* ou le *Portrait de l'artiste*, aurait produit le même effet.

La focalisation externe n'est certes pas une invention du roman américain d'entre-deux-guerres, qui n'a innové qu'en maintenant ce

1. 1976*a*, p. 59.
2. C'est à peu près l'avis de Roland Barthes dans son *Introduction à l'analyse structurale des récits* : « Le procédé (dit-il après l'avoir considéré dans *Cinq heures vingt-cinq*, de la même Agatha Christie, où la tricherie paraliptique fonctionne à la troisième personne) est encore plus grossier dans *Le Meurtre de Roger Ackroyd*, puisque le meurtrier y dit franchement *je* » (1977, p. 41 et 56). Dans le *Degré zéro*, Barthes était plus proche du point de vue de Rimmon : « ... un roman d'Agatha Christie où toute l'invention consistait à dissimuler le meurtrier sous la première personne du récit. Le lecteur cherchait l'assassin derrière tous les *il* de l'intrigue : il était sous le *je*. Agatha Christie savait parfaitement que dans le roman, d'ordinaire, le *je* est témoin, c'est le *il* qui est acteur » (coll. « Points », Seuil, 1972, p. 28).

parti tout au long d'un récit, généralement bref. J'ai signalé (p. 207-208) l'usage introductif qu'en faisait le roman classique, et j'ai opposé à cette pratique, « encore » manifeste dans *Germinal*, celle du James des derniers romans, qui suppose d'emblée connu le personnage dont la présence ouvre l'action. C'était là suggérer une évolution historique sur laquelle je n'avais guère qu'une vue tout intuitive; c'était aussi débarquer naïvement sur un sujet délicat, et déjà exploré. Deux mots là-dessus, peut-être.

L'étude historique que je souhaitais n'est en cours, à ma connaissance, que sous la forme d'une enquête animée à Groningue par Jaap Lintvelt et qui porte sur des débuts de romans modernes. Je pensais surtout à une vérification (ou réfutation) de mon hypothèse historique d'un changement intervenu dans la seconde moitié du XIXᵉ siècle, et j'ai effectué, avec l'aide d'un enfant de trois ans, un petit sondage-express sur quelques grands romans du XVIIᵉ au XXᵉ siècle. Si l'on oppose grossièrement deux types d'*incipit*, le type A qui suppose le personnage inconnu du lecteur, le considère d'abord de l'extérieur en assumant en quelque sorte cette ignorance, puis le présente formellement (type *Peau de chagrin*), et le type B qui le suppose d'emblée connu, le désignant aussitôt par son nom, voire son prénom, voire un simple pronom personnel ou article défini « familiarisant [1] », on peut observer dans l'histoire du roman moderne une évolution significative, consistant grosso modo en un passage du type A, dominant [2] jusqu'à Zola exclu (mais encore présent, donc, dans *la Fortune des Rougon, Nana, Pot-Bouille* et *Germinal*), au type B, déjà représenté dans *la Curée* (sur l'ensemble des *Rougon-Macquart*, quatorze cas, fort nets, sur vingt). Chez James, le passage est très marqué d'une dominance de A jusqu'aux *Bostoniennes* à une dominance de B à dater de *Casamassima* (tous deux de 1885) et jusqu'à la fin. Le tournant, peut-être provisoire,

---

1. Bronzwaer, cité par Stanzel, 1981, p. 11 (d'un terme très métonymique, mais très éloquent, Damourette et Pichon, je crois, qualifiaient de « notoire » l'article défini). Sur la valeur focalisante des dénominations de personnages, voir Boris Uspenski. Il est en effet certain qu'appeler son héroïne *Madame Bovary*, ou *Madame*, ou *Emma* peut exprimer des degrés de familiarité du narrateur, et/ou le choix de tel ou tel personnage focal.
2. Sous la forme extrême d'une focalisation externe à ignorance marquée, et soulignée par des supputations d'observateur (« à son allure on reconnaissait, à sa physionomie on devinait, etc. »), comme dans *La Peau de chagrin, Pons, Bette, Le Médecin de campagne, Splendeurs et Misères*, ou sous la forme, aussi fréquente chez Balzac, d'une ouverture panoramique descriptive et/ou historique : *Goriot, Grandet, Illusions perdues, Curé de village, Recherche de l'absolu, Vieille fille*, etc.

se situe donc bien dans cette zone, disons symboliquement en 1885. L'usage du type B est éclatant au XXᵉ siècle dans des romans comme *Ulysse, le Procès* ou *le Château, les Thibault, la Condition humaine* ou *Aurélien*, et la nouvelle pousse volontiers l'ellipse de la présentation jusqu'au simple pronom ou article défini (*Hills like White Elephants* : « The *American and* the *girl...* »). Plus rarement peut-être le roman, mais c'est le cas de *Pour qui sonne le glas* (« He *lay flat...* »)[1], et dès 1900 Conrad ouvrait *Lord Jim* par un *il* qui ne devient qu'au bout de deux pages un fort discret *Jim*; « Jim et rien de plus. Il possédait un autre nom, bien entendu, mais il tenait fort à ne l'entendre jamais prononcer » – et, sauf erreur, il ne le sera effectivement jamais pour nous.

Ces débuts à pronoms ont été étudiés par J.M. Backus, qui parle de « *non-sequential sequence-signals* » : référentiels sans référence, anaphoriques sans antécédents, mais dont la fonction est précisément de simuler, et par là de *constituer* une référence, et de l'imposer au lecteur par voie de présupposition. R. Harweg[2], empruntant ces termes à Pike, oppose des débuts « émiques », avec nom de personne, aux débuts « étiques », avec simple pronom. Mais la question déborde l'emploi des pronoms ou des articles définis. Un simple prénom est évidemment plus « étique » qu'une nomination complète (prénom et nom), elle-même plus « étique » qu'une présentation en forme suivant le procédé de travelling avant du roman balzacien. Il y a en fait toute une gradation, aux nuances subtiles et variables selon le contexte, du pôle le plus explicite (à la Balzac : « Le 15 juin 1952 à cinq heures, une jeune femme sortit d'un élégant hôtel situé au 54 de la rue de Varenne, etc. (après quelques pages de description :)...Cette élégante promeneuse n'était autre que la marquise de..., etc. ») au pôle le plus implicite, à la Duras : « Elle vit qu'il était cinq heures. Elle sortit... » – la formule valéryenne étant à coup sûr un degré intermédiaire : « La marquise »? Quelle marquise? Le pôle étique ou implicite a évidemment, comme le remarque Stanzel[3], partie liée avec son type narratif « figural », c'est-à-dire avec la focalisation interne, et donc avec une certaine modernité romanesque.

1. Sur l'effet familiarisant *pour le lecteur* de cette attitude narrative, voir Walter Ong, 1975, p. 12-15. Comme le montre bien Ong, ces désignations allusives (pseudo-anaphoriques ou pseudo-déictiques) imposent au lecteur une relation d'intimité et de complicité avec l'auteur, que la sournoise intimidation inhérente, dirions-nous aujourd'hui, à toute présupposition, l'empêche de refuser, fût-ce d'une question peu « coopérative » du genre « Qui, *il*? Quel Américain? Quelle jeune fille? »
2. 1968, p. 152-166 et 317-323.
3. 1981, p. 11.

L'enquête, bien entendu, reste ouverte, et devrait également tenir compte des particularités individuelles, ou génériques : la nouvelle, nous l'avons vu, et pour des raisons évidentes, est plus elliptique que le roman; le roman historique peut l'être davantage que la pure fiction, puisque certains de ses personnages sont par définition supposés « notoires ». Particularités formelles, aussi : la narration homodiégétique présente ici un trait spécifique; le pronom *je* est à la fois étique et émique, puisqu'on sait au moins qu'il désigne le narrateur. Mais elle semble bien avoir subi la même évolution d'ensemble, depuis la présentation formelle du roman picaresque : « Sachez, Monsieur, avant toute chose, que mon nom est Lazare de Tormes, fils de Thomas Gonzalez... », jusqu'à l'ellipse proustienne, en passant par la familiarité désinvolte de Melville : « *Call me Ishmael...* »

XII

La définition des types de focalisation a été critiquée et révisée par Mieke Bal à partir de ce qui m'apparaît comme une volonté abusive de constituer la focalisation en *instance* narrative. Mieke Bal semble considérer – et parfois [1] m'attribuer l'idée – que tout énoncé narratif comporte un (personnage) *focalisateur* et un (personnage) *focalisé*. En focalisation interne, le focalisé serait en même temps focalisateur (« le personnage " focalisé " voit »), en focalisation externe, il serait seulement focalisé (« il ne voit pas, il est vu »), et cette dissymétrie serait masquée chez moi par l'emploi « nonchalant » de l'expression « focalisation sur » au lieu de « focalisation par », qui me conduirait à « traiter Philéas et son valet comme des instances presque interchangeables, et à traiter comme " focalisé " aussi bien le sujet (Passepartout) que l'objet (Philéas) ». J'ai beaucoup de mal à entrer dans cette discussion où Mieke Bal introduit dès l'exposé de ma position des notions (*focalisateur, focalisé*) que je n'ai jamais songé à employer, parce qu'elles sont incompatibles avec ma conception de la chose. Pour moi, il n'y a pas de personnage focalisant ou focalisé : *focalisé* ne peut s'appliquer qu'au récit lui-même, et *focalisateur*, s'il s'appliquait à quelqu'un, ce ne pourrait être qu'à celui qui *focalise le récit*, c'est-à-dire le narrateur – ou, si l'on veut sortir des conventions de la fiction, l'*auteur* lui-même,

1. Par exemple, 1977, p. 37. L'essentiel de la discussion tient dans le premier chapitre (« Narration et focalisation », p. 19-58) de cet ouvrage, auquel je renvoie implicitement dans les pages qui suivent.

qui délègue (ou non) au narrateur son pouvoir de focaliser, ou non. Dans sa discussion avec Bronzwaer [1], Mieke Bal nie que j'admette l'existence de « passages non focalisés », précisant qu'une telle catégorie ne peut s'appliquer qu'à des récits considérés dans leur totalité. Cela signifie évidemment que l'analyse d'un récit « non focalisé » doit toujours pouvoir le réduire à une mosaïque de segments diversement focalisés, et donc que « *focalisation zéro* » = *focalisation variable*. Cette formule ne me gênerait nullement, mais il me semble que le récit classique place parfois son « foyer » en un point si indéterminé, ou si lointain, à champ si panoramique (le fameux « point de vue de Dieu », ou de Sirius, dont on se demande périodiquement s'il est bien un point de vue) qu'il ne peut coïncider avec aucun personnage, et que le terme de non-focalisation, ou focalisation zéro, lui convient plutôt mieux. A la différence du cinéaste, le romancier n'est pas obligé de mettre sa caméra quelque part : il n'a pas de caméra [2]. La formule juste serait donc plutôt : *focalisation zéro = focalisation variable, et parfois zéro*. Ici comme ailleurs, le choix est purement opératoire. Ce laxisme choquera sans doute quelques-uns, mais je ne vois pas pourquoi la narratologie devrait devenir un catéchisme avec, pour chaque question, une réponse à cocher par oui ou par non, là où la bonne réponse serait bien souvent : cela dépend des jours, du contexte, et de la vitesse du vent.

Par focalisation, j'entends donc bien une restriction de « champ », c'est-à-dire en fait une sélection de l'information narrative par rapport à ce que la tradition nommait l'*omniscience*, terme qui, en fiction pure, est, littéralement, absurde (l'auteur n'a rien à « savoir », puisqu'il invente tout) et qu'il vaudrait mieux remplacer par *information complète* – muni de quoi c'est le lecteur qui devient « omniscient ». L'instrument de cette (éventuelle) sélection est un *foyer situé*, c'est-à-dire une sorte de goulot d'information, qui n'en laisse passer que ce qu'autorise sa situation : Marcel sur son talus derrière la fenêtre de Montjouvain. En focalisation interne, le foyer coïncide avec un personnage, qui devient alors le « sujet » fictif de toutes les perceptions,

1. 1981*b*.
2. Il est vrai qu'il peut aujourd'hui, effet en retour d'un medium sur l'autre, feindre d'en avoir une. Sur la différence entre focalisation et « ocularisation » (information et perception), et sur l'intérêt de cette distinction pour la technique du film et celle du *Nouveau Roman*, voir F. Jost, 1983*a*, et 1983*b* chap. III (« La mobilité narrative »). Remontant de ces cas limites vers le régime ordinaire du récit, le travail de Jost me semble la contribution la plus pertinente au débat sur la focalisation, et à l'affinement nécessaire de cette notion.

y compris celles qui le concernent lui-même comme objet : le récit *peut* alors nous dire tout ce que ce personnage perçoit et tout ce qu'il pense (il ne le fait jamais, soit par refus de donner des informations non pertinentes, soit par rétention délibérée de telle ou telle information pertinente (paralipse), comme le moment et le souvenir du crime dans *Roger Ackroyd*); il ne *doit* en principe rien dire d'autre; s'il le fait, c'est de nouveau une altération (paralepse), c'est-à-dire une infraction, délibérée ou non, au parti modal du moment, comme lorsque Marcel « perçoit » – et non *devine* – les pensées de Mlle Vinteuil à Montjouvain. En focalisation externe, le foyer se trouve situé en un point de l'univers diégétique choisi par le narrateur, *hors de tout personnage*, excluant par là toute possibilité d'information sur les pensées de quiconque – d'où l'avantage pour le parti pris « behaviouriste » de certains romanciers modernes. On ne peut donc en principe confondre les deux types, à moins que l'auteur n'ait construit (focalisé) son récit d'une manière non seulement incohérente, mais confuse. Toutefois, il peut arriver que, *du point de vue de l'information pertinente*, les deux partis soient équivalents. C'est le cas dans l'exemple litigieux des premiers chapitres du *Tour du monde en 80 jours* : je n'ai jamais, comme m'en blâme Mieke Bal, traité Philéas et Passepartout « comme des instances presque interchangeables » (je ne vois d'ailleurs aucune raison de les bombarder « instances », mais ceci est une autre question, qui viendra en son temps), et je n'ai jamais dit que le parti de Jules Verne pouvait être qualifié *ad libitum* de focalisation externe sur Philéas ou de focalisation interne sur Passepartout (ou sur quelque autre témoin spécifié); je suppose que ces deux partis alternent, et que certains segments peuvent rester indécidables, faute de précisions suffisantes, mais je ne me lèverai pas pour aller y voir, car le point n'est pas là : il est dans le fait que, *pour ce qui concerne notre information sur Philéas*, les deux partis sont *équivalents*, et qu'*à cet égard* leur distinction peut être *négligée*. Je me surprends à répondre ici à Mieke Bal avec les italiques qui conviendraient à van Rees, et je devine sans effort qu'un tel rapprochement ne la réjouira pas, mais qu'y puis-je? Le reproche de « nonchalance » se trouve chez les deux, et dans les deux cas ma défense est la même : sans « nonchalance » aux détails non pertinents à la question du moment, il n'y a à tout bonnement pas de recherche possible, car la recherche n'est qu'une série de questions, et l'essentiel est de ne pas se tromper de question. Dans le cas du *Tour du monde*, le point est que Philéas, *alors objet du récit* [1], est vu de

---

1. Le terme de *héros*, que j'employais p. 208, était évidemment maladroit, et Mieke Bal n'a pas tort de le relever : l'objet du récit n'est pas nécessairement toujours le « personnage principal » : ainsi Charles au début de *Bovary*.

l'extérieur; que le point de vue soit chez Passepartout, chez un observateur anonyme ou dans l'air du temps n'a dès lors qu'une importance secondaire, c'est-à-dire *pour l'instant négligeable.*

Le reste de la théorie balienne des focalisations se développe selon sa logique propre, à partir de cette innovation (constitution d'une *instance de focalisation* composée d'un focalisateur, d'un focalisé, et même, p. 40, d'un « focalisataire ») dont l'utilité m'échappe, et dont les aboutissements me laissent rêveur, comme cette idée d'une *focalisation au second degré.* Ainsi, ces deux phrases de *la Chatte* : « Elle le regarda boire et se troubla brusquement à cause de la bouche qui pressait les bords du verre. Mais il se sentait si fatigué qu'il refusa de participer à ce trouble » contiendraient pour Mieke Bal un enchâssement de focalisations, Alain étant « focalisé au second degré par le focalisateur focalisé (Camille) ». Pour moi, il n'y a là qu'un changement de foyer, ou mieux un déplacement du foyer, situé sur Camille dans la première phrase, sur Alain dans la deuxième, avec un élément élidé mais indispensable à la cohérence du passage, à savoir qu'Alain *perçoit* le trouble de Camille, ce qui implique qu'il la voie le regarder : enchâssement de regards, si l'on veut, en un sens déjà très métaphorique (évidemment!), mais non de focalisations. Je vois bien qu'un récit peut mentionner un regard qui en perçoit un autre, et ainsi de suite, mais je ne crois pas que le *foyer* du récit puisse être en deux points *à la fois.* Certes, je ne puis le démontrer. Mais c'est à Mieke Bal de démontrer le contraire, et je ne sache pas qu'elle l'ait fait [1].

Une dernière remarque sur le chapitre des focalisations : j'emploie au moins deux fois (p. 219 et 230) une expression passablement hétérodoxe par rapport à mes propres définitions, celle de « focalisation sur le narrateur », que je déclare « logiquement impliquée par le récit à la première personne ». Il s'agit évidemment de la restriction de l'information narrative au seul « savoir » du narrateur *en tant que tel,* c'est-à-dire à l'information du héros au moment de l'histoire *complétée par ses informations ultérieures* – le tout restant à la disposition du héros devenu narrateur. Seul le premier ensemble mérite *stricto sensu* le terme de « focalisation »; pour le second, il s'agit d'une information extradiégétique, que seule l'identité de personne entre héros et narrateur autorise, *par extension,* à qualifier ainsi. Mais voilà bien une

---

1. Les défauts de la méthode de Mieke Bal me semblent heureusement corrigés, sur ce point et quelques autres, dans l'article de P. Vitoux. Mais on pense irrésistiblement à ce système de Ptolémée, qui finissait par exiger, pour fonctionner, de si coûteuses réparations qu'il devint plus expédient de s'en passer. La question est maintenant, bien sûr, de savoir qui est ici Ptolémée –, et chacun se croit Copernic.

de ces corrélations entre mode et voix qu'on m'a justement reproché de négliger (car il ne faut pas *tout* négliger) : la narration homodiégétique, par nature ou convention (en l'occurrence, c'est tout un), simule l'autobiographie bien plus étroitement que la narration hétérodiégétique ne simule ordinairement le récit historique. En fiction, le narrateur hétérodiégétique n'est pas comptable de son information, l'« omniscience » fait partie de son contrat, et sa devise pourrait être cette réplique d'un personnage de Prévert : « Ce que je ne sais pas je le devine, et ce que je ne devine pas je l'invente [1] ». Le narrateur homodiégétique, lui, est tenu de justifier (« Comment le sais-tu ? ») les informations qu'il donne sur les scènes d'où « il » était absent comme personnage, sur les pensées d'autrui, etc., et toute infraction à cette charge fait paralepse : ainsi, manifestement, des dernières pensées de Bergotte, que nul absolument ne peut connaître, et plus sourdement de bien d'autres, dont il est peu vraisemblable que Marcel ait pu les connaître un jour. On pourrait donc dire que le récit homodiégétique subit, en conséquence de son choix vocal, une restriction modale *a priori*, et qui ne peut être évitée que par infraction, ou contorsion perceptible. Pour désigner cette contrainte, peut-être faudrait-il parler de *préfocalisation* ? Ma foi, c'est fait.

XIII

Le chapitre de la voix est sans doute celui qui a provoqué les discussions pour moi les plus cruciales, au moins à propos de la catégorie de la *personne*. Je ne reviens pas sur les généralités concernant l'instance narrative, ni sur les considérations relatives au temps de la narration, si ce n'est, à propos de la narration « ultérieure », pour atténuer l'idée [2] que l'emploi du prétérit marquerait « inévitablement » l'antériorité de l'histoire. Cette évidence, je le mentionnais

1. Meir Sternberg (1978, chap. VIII et IX) distingue opportunément, parmi ces narrateurs omniscients, les narrateurs *omnicommunicative*, qui donnent apparemment au lecteur toutes les informations dont ils disposent (exemple : les romans de Trollope), et les narrateurs *suppressive*, qui en retiennent une partie, explicitement ou non, définitivement ou non, etc., par voie d'ellipses ou de paralipses (exemple : *Tom Jones*). Mais bien entendu, cette distinction s'applique aussi bien aux récits focalisés, exemple *Roger Ackroyd*.
2. P. 231, et déjà p. 74.

moi-même, a été vivement discutée voici un quart de siècle par Käte Hamburger, d'ailleurs précédée en cela par Roland Barthes, qui indiquait dans le *Degré zéro* que l'emploi du passé simple connote davantage la littérarité du récit qu'il ne dénote le passé de l'action. Pour Käte Hamburger, on le sait, le « prétérit épique » n'a aucune valeur temporelle : il marque seulement la fictivité de la fiction. Cette thèse n'est sans doute pas à prendre à la lettre, et moins encore à appliquer à toute espèce de récit au passé. Pour commencer, Hamburger elle-même ne prétend nullement l'appliquer au récit homodiégétique, qu'elle place résolument hors de la sphère de la fiction : il va de soi, en effet, qu'un récit à la première personne, au moins lorsqu'il prend la forme étendue de l'autobiographie [1], situe explicitement son histoire dans un passé révolu qui désigne pleinement sa narration comme ultérieure.

J'en dirais volontiers autant de certains récits hétérodiégétiques qui marquent non moins explicitement le caractère révolu de leur action par un épilogue au présent qui rejette inévitablement en arrière tout ce qui l'a précédé : voyez *Tom Jones, Eugénie Grandet* ou *Madame Bovary*. On peut objecter ici le caractère partiellement homodiégétique de ce dernier récit, marqué comme on sait au premier chapitre, et qui revient implicitement dans ses dernières phrases au présent. Je pense à vrai dire que toute fin au présent (et tout début au présent, s'il n'est pas purement descriptif et met déjà en scène, comme *le Père Goriot* ou *le Rouge et le Noir*) introduit une dose, allons-y, d'*homodiégéticité* dans le récit, puisqu'elle place le narrateur en position de contemporain, donc peu ou prou de témoin : c'est là, bien évidemment, l'une des transitions entre les deux types de situations narratives. De ce point de vue, donc, les deux points de résistance à la thèse de Käte Hamburger peuvent se ramener à un seul.

Une troisième exception concernerait le récit (de fiction) dit « historique ». Ce terme est certes très vague, ou du moins je pense qu'il faut le prendre ici dans son acception la plus large possible, comprenant toute espèce de récit explicitement situé, fût-ce par une seule date, dans un passé historique, fût-il très récent, et dont le narrateur, par cette seule indication, se pose plus ou moins en historien, et donc, si j'ose ce très léger oxymore, en *témoin ultérieur*. Inutile de dire que la quasi-totalité du roman classique, de *la Princesse de Clèves*

---

1. C'est moins évident pour certains récits homodiégétiques brefs, comme *50 000 dollars* ou les nouvelles de Hammett, dont le régime narratif est très peu marqué par la présence d'un *je* d'une exceptionnelle sobriété (j'y reviendrai), et donc impersonnalité.

aux *Géorgiques,* se trouve ici [1]. Ni que cette troisième exception a beaucoup à voir avec les deux autres : un témoin ultérieur est encore un témoin, et le « romancier historique », quelque éloignée que soit la diégèse de son récit, n'est jamais sans aucune relation (fût-ce de distance) spatio-temporelle avec elle.

La thèse de Hamburger, après tout, ne prétend valoir que pour la pure fiction, et la fiction est rarement pure – plus rarement sans doute que ne le suppose cette thèse : tous les types que je viens d'évoquer sont des cas d'impureté. Du point de vue qui nous occupe ici, et qui n'a évidemment rien à voir avec le caractère plus ou moins réaliste d'un récit (un roman peut être à la fois fantastique et situé dans l'histoire « réelle » : voyez *Vathek,* ou le *Manuscrit trouvé à Saragosse*), pure fiction serait un récit dépourvu de toute référence au cadre historique. Peu de romans, je l'ai dit, sont dans ce cas, et peut-être aucun récit épique ; le « il était une fois » des contes populaires me semble fournir un indice peu récusable d'antériorité, fût-elle explicitement mythique, de l'histoire. C'est sans doute la nouvelle qui illustrerait le plus souvent cet état d'intemporalité qu'exige la pure fiction, et l'on voit bien comment certains prétérits d'Hemingway se rapprochent de l'état idéal d'un aoriste sans distance et sans âge.

Jaap Lintvelt signale encore [2], à propos d'autre chose, un indice infaillible de narration ultérieure : c'est la présence, caractéristique de ce qu'il nomme le type narratif auctoriel, d' « anticipations certaines » au sens de Lämmert *(Zukunftgewissen Vorausdeutungen)* : un narrateur qui annonce, comme celui d'*Eugénie Grandet,* « dans trois jours devait commencer une terrible action, etc. », pose par là même et sans ambiguïté possible son acte narratif comme postérieur à l'histoire qu'il raconte, ou du moins au point de cette histoire qu'il anticipe ainsi.

L'emploi du présent pourrait sembler *a priori* le plus apte à simuler l'intemporalité ; c'est à peu près (du moins en français) sa fonction dans un type de récit très répandu, et qui se donne généralement comme extérieur à toute réalité historique : l' « histoire drôle ». Mais en fait, la personne joue ici un rôle décisif : en relation hétérodiégétique *(les Gommes)* le présent peut bien avoir cette valeur intemporelle, mais en relation homodiégétique (*Notes d'un souterrain,* les romans de Beckett, *Dans le labyrinthe*), la valeur de simultanéité passe au premier plan, le récit s'efface devant le discours et semble à tout moment basculer dans le « monologue intérieur ». J'en ai dit un mot

---

1. « Tous mes romans, disait bien Aragon, sont *historiques,* bien qu'ils ne soient pas en *costume* » (Préface à *La Semaine sainte*).
2. 1981, p. 54.

(p. 231), mais pour une étude plus détaillée et plus subtile de cet effet, je ne puis que renvoyer au chapitre « Du récit au monologue » de *la Transparence intérieure*.

Mais il y a sans doute plus : si un début *(Père Goriot)* ou une fin *(Eugénie Grandet)* au présent suffisent à introduire dans un récit massivement hétérodiégétique un soupçon d'homodiégéticité, il serait un peu paradoxal de dénier cet effet à une narration hétérodiégétique intégralement conduite [1] au présent, comme celle des *Gommes* ou du *Vice-consul*. « Paradoxal » ne signifie d'ailleurs pas nécessairement *erroné*, car on peut soutenir que la valeur déictique du présent (le *maintenant* qui suggère un *je*) s'use et se neutralise dans une narration entièrement simultanée, faute du contraste qui lui donne inversement tant de force dans un contexte au passé. Il me semble néanmoins que l'effet, si j'ose dire, d'*homodiégétisation* n'est jamais totalement évacué d'un récit au présent, dont le temps porte toujours plus ou moins présence d'un narrateur qui – pense inévitablement le lecteur – ne peut être bien loin d'une action qu'il donne lui-même comme si proche. C'est évidemment l'un des éléments de l'effet-*Jalousie*. En somme, j'avais sans doute un peu exagéré les conséquences narratives de l'emploi du passé – qui ne donne pas toujours au lecteur un sentiment très intense de l'ultériorité de la narration – et sous-estimé celle de l'emploi du présent, qui suggère presque irrésistiblement une présence du narrateur dans la diégèse.

XIV

Comme la théorie des focalisations n'était qu'une généralisation de la notion classique de « point de vue », la théorie des niveaux narratifs n'est qu'une systématisation de la notion traditionnelle d' « enchâssement », dont le principal inconvénient était de marquer insuffisamment le *seuil* que représente, d'une diégèse à une autre, le fait que la seconde est prise en charge par un récit fait dans la première. Le défaut de cette section, ou du moins l'obstacle à sa compréhension, réside sans doute dans la confusion qui s'établit fréquemment entre la qualité d'*extradiégétique*, qui est un fait de niveau, et celle d'*hétérodiégétique*, qui est

1. Je dis *conduite*, et non (entièrement) *rédigée*, parce qu'ici le présent de base n'exclut pas des analepses au passé composé ou des prolepses au futur.

un fait de relation (de « personne »). Gil Blas est un narrateur extradiégétique parce qu'il n'est *(comme narrateur)* inclus dans aucune diégèse, mais directement de plain-pied, quoique fictif, avec le public (réel) extradiégétique; mais puisqu'il raconte sa propre histoire, il est en même temps un narrateur homodiégétique. Inversement, Schéhérazade est une narratrice intradiégétique parce qu'elle est déjà, avant d'ouvrir la bouche, personnage dans un récit qui n'est pas le sien; mais puisqu'elle ne raconte pas sa propre histoire, elle est en même temps narratrice hétérodiégétique. « Homère » ou « Balzac » est à la fois extra- et hétérodiégétique, Ulysse ou Des Grieux est à la fois intra- et homodiégétique. Le nœud de la confusion est sans doute dans une mauvaise entente du préfixe *extra*diégétique, qu'il semble paradoxal d'attribuer à un narrateur qui est justement, comme Gil Blas, présent (comme personnage) dans l'histoire qu'il raconte (comme narrateur, bien sûr). Mais ce qui compte ici, c'est qu'il soit, *comme narrateur,* hors-diégèse, et c'est tout ce que signifie cet adjectif. La figuration la plus parlante de ces relations de niveau consisterait peut-être à représenter ces emboîtements de récits par des bonshommes parlant, comme dans les bandes dessinées, sous forme de bulles. Un narrateur (et non personnage, ce qui n'aurait aucun sens) extradiégétique A (disons le narrateur primaire des *Mille et Une Nuits*) produirait une bulle, récit primaire avec sa diégèse où se trouverait un personnage (intra-)diégétique B (Schéhérazade), lequel pourrait à son tour devenir narrateur, toujours intradiégétique, d'un récit métadiégétique où figurerait un personnage métadiégétique C (Simbad), qui éventuellement pourrait à son tour, etc. :

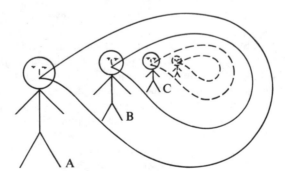

Encore une fois, les relations de personne interfèrent librement avec les relations de niveau, sans incidence sur leur fonctionnement : dans

Manon Lescaut, par exemple, le narrateur intradiégétique et le personnage métadiégétique sont la même personne, Des Grieux, que l'on qualifie pour cette raison de narrateur homodiégétique. Cette situation sera symbolisée dans le schéma par un redoublement de la lettre-indice B, la lettre A désignant le narrateur extradiégétique Renoncour :

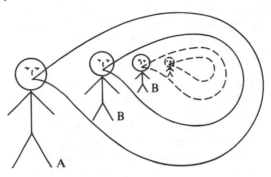

Cette section du *niveau* a suscité, à ma connaissance, trois critiques. La première portait sur le fond, mais je ne la mentionne que pour mémoire, car son auteur l'a presque aussitôt retirée. Dans son excellent compte rendu de *Discours du récit* [1], Shlomith Rimmon estimait que dans certains cas la détermination du niveau primaire (narration extradiégétique) pouvait devenir problématique, et que le système proposé n'en fournissait aucun critère : « Par exemple, quel est le récit primaire dans *la Vraie Vie de Sebastian Knight,* de Nabokov? Est-ce la vie reconstituée de Sebastian, ou la quête par le narrateur de la biographie de son demi-frère? Toute décision présuppose une interprétation, et les critères objectifs ne sont pas évidents. De plus, il arrive que la structure de l'œuvre rende impossible de décider quel niveau de fiction est primaire et lequel est second, impossibilité qui contribue à l'ambiguïté narrative. Ce qui manque dans l'analyse de Genette, c'est un ensemble de propriétés qui aiderait à identifier le récit primaire et qui, en cas d'ambiguïté narrative, s'appliquerait également à deux niveaux différents. » Quelques mois plus tard [2], étudiant de front les questions de la voix narrative dans *Sebastian Knight,* elle déclarait finalement que les critères de *Figures III* suffisaient à son analyse. De

1. 1976*a*, p. 59.
2. 1976*b*, p. 489.

fait (ou plutôt : en fait), il me semble que ce roman ne pose aucune difficulté quant à la détermination du niveau primaire, qui est évidemment constitué par le récit de V. Il n'y aurait difficulté qu'à condition, confusion classique, d'interpréter « récit primaire » (ou « premier ») au sens de : thématiquement plus important. Mais ce point, qui relève effectivement d'une « interprétation », n'est pas du ressort de la narratologie. (A cet égard et sortant de mon rôle actuel, je dirai entre soigneuses parenthèses que Sebastian me paraît en tout cas le personnage le plus *valorisé* – celui où Nabokov investit le plus de son arrogance. Mais il en reste encore une assez bonne dose pour son biographe.)

Je ne prétends certes pas que la rétractation de Shlomith Rimmon mette ici la méthode de *Discours du récit* au-dessus de toute difficulté : il existe probablement des situations narratives plus complexes ou plus perverses que celle de *Sebastian Knight* : par exemple, celle de la *Ménélaïade* de John Barth [1], qui ne comporte pas moins de sept niveaux narratifs; elle ne me semble pourtant pas faire davantage difficulté : au niveau primaire, un narrateur extradiégétique s'adresse, comme il se doit et sans aucune ambiguïté possible, à un narrataire également extradiégétique. L' « ambiguïté narrative » qu'envisageait Shlomith Rimmon n'est peut-être pas si facile à produire, sans doute parce que les structures du langage et les conventions d'écriture ne lui laissent guère de place. Un récit ne peut guère en « enchâsser » un autre sans marquer cette opération, et donc sans se désigner lui-même comme récit primaire. Cette marque et cette désignation *peuvent*-elles être silencieuses ou mensongères? J'avoue que je ne parviens pas à concevoir cette situation, ni à en trouver des exemples réels, mais cela n'accuse peut-être que mon ignorance, mon manque d'imagination, ou la paresse d'esprit des romanciers, voire tout cela ensemble. Ce qui s'en rapproche peut-être le plus dans les récits existants, c'est encore cette transgression délibérée du seuil d'enchâssement que nous appelons *métalepse* : lorsqu'un auteur (ou son lecteur) s'introduit dans l'action fictive de son récit ou lorsqu'un personnage de cette fiction vient s'immiscer dans l'existence extradiégétique de l'auteur ou du lecteur, de telles intrusions jettent pour le moins un trouble dans la distinction des niveaux. Mais ce trouble est si fort qu'il excède de beaucoup la simple « ambiguïté » technique : il ne peut relever que de l'humour (Sterne, Diderot) ou du fantastique (Cortazar, Bioy Casares), ou de

---

1. *Perdu dans le labyrinthe,* trad. fr., Gallimard, 1972; voir *Palimpsestes,* p. 391-392.

quelque mixte des deux (Borges, bien sûr [1]), à moins qu'il ne fonctionne comme une figure de l'imagination créatrice : c'est évidemment le cas dans les premières pages de *Noé,* où Giono montre les personnages et le décor d'*Un roi sans divertissement* encombrant son grenier-bureau pendant qu'il écrivait ce roman.

Shlomith Rimmon envisage encore une autre difficulté, à moins que ce ne soit une autre formulation de la même : celle des romans « où il n'y a qu'un narrateur intradiégétique : que sera, demande-t-elle, le niveau (extra)diégétique [2] ? » A première vue, et en l'absence de tout exemple, je vois mal à quoi elle peut penser, et quel sens peut avoir sa question : un narrateur ne peut être perçu comme intradiégétique que s'il est posé comme tel par un récit où il figure, et qui constitue précisément ce niveau qu'elle dit chercher. Mais il est vrai que ce récit-cadre peut fort bien, au moins en littérature moderne, être soumis à une ellipse complète : c'est par exemple le cas de *la Chute,* où le monologue de Clamence en présence de son auditeur muet ne peut être qu'implicitement « enchâssé » dans un récit-cadre sous-entendu, mais clairement impliqué par tous ceux des énoncés de ce monologue qui se rapportent, non à l'histoire qu'il raconte, mais aux circonstances de cette narration. Faute de recours à cet enchâssement implicite, *la Chute* échapperait au mode narratif [3], puisqu'elle consiste exhaustivement en un monologue de personnage, ou plus exactement (puisque ce personnage n'est pas seul, mais s'adresse à un auditeur muet) en une

1. Ou Woody Allen : grâce à l'aide d'un magicien, le professeur Kugelmass s'introduit dans la diégèse de *Madame Bovary* et devient l'amant d'Emma, qu'il ramène dans le New York du XXᵉ siècle; finalement lassé d'elle, tout comme Rodolphe et Léon, il la réexpédie à Yonville; un peu plus tard, son magicien l'insère par erreur dans une nouvelle diégèse(?) fort peu romanesque : celle d'une grammaire espagnole, où l'attendent des verbes très irréguliers. « Je n'en crois pas mes yeux, dit pendant l'idylle métaleptique un professeur de Stanford qui relit ses classiques : d'abord, cet étrange personnage nommé Kugelmass... et maintenant, c'est elle qui disparaît du roman! Eh bien, je pense que c'est le propre des grandes œuvres classiques : on peut les lire mille fois, et toujours y découvrir du nouveau » (« J'ai séduit Mme Bovary pour vingt dollars », in *Destins tordus,* trad. fr. Robert Laffont, 1981).
2. Elle dit (p. 489) *diégétique,* mais c'est sans doute un lapsus, puisque diégétique est synonyme d'*intra*diégétique.
3. Au *mode* narratif plutôt qu'au *genre* romanesque : les deux frontières ne se confondent pas, et le roman, genre « mixte », comme Platon disait de l'épopée, peut prendre une forme purement dramatique : il suffit qu'il consiste exclusivement en scènes dialoguées que n'encadre aucune formule de présentation; autant que je m'en souvienne, c'était le cas, au début de ce siècle, de certains romans mondains de Gyp, et sans doute de quelques autres.

longue « tirade » sans réplique : texte de mode dramatique, donc, et que l'on pourrait, si ce n'est déjà fait, porter à la scène sans y changer un mot. Le même effet peut être produit – et d'une manière plus brutale et inattendue – en faisant suivre ce qui semblait jusque-là un récit à narrateur (et narrataire) extradiégétique d'une simple réplique révélant *in extremis* qu'il s'agissait d'un récit intradiégétique adressé à un auditeur présent : voyez la dernière ligne de *Portnoy* [1].

La seconde critique vient également de Shlomith Rimmon, qui ajoutait dans son compte rendu : « Le terme de " récit premier " est peut-être aussi légèrement fourvoyant, puisqu'il peut donner l'impression de désigner le niveau le plus important, alors qu'en fait le niveau métadiégétique est souvent plus important que le récit primaire, qui peut se réduire à un simple prétexte (voyez les *Contes de Canterbury*). Il vaudrait peut-être mieux éviter les termes de " récit premier " ou " second ", et parler des niveaux narratifs en termes de profondeur de subordination. » Rimmon a naturellement raison de rappeler, comme je viens de le faire à mon tour, que le récit « enchâssé » peut être thématiquement plus important que celui qui l'encadre (c'est même le cas le plus fréquent), et nous retrouvons là une difficulté déjà rencontrée. J'ai alors, à propos des questions d'ordre, proposé de rebaptiser *récit primaire* mon ci-devant « récit premier ». Il semble que cette précaution ne soit pas suffisante, puisque Shlomith Rimmon critique ici « premier » sous sa forme anglaise *primary,* qui servirait sans doute également à traduire « primaire », mais je ne vois guère de solution à ce problème terminologique – pas plus que les grammairiens n'en ont trouvé au fait qu'une proposition « subordonnée » peut être thématiquement plus importante que la « principale ». Il est de fait que le récit enchâssé est narrativement subordonné au récit enchâssant, puisqu'il lui doit l'existence et repose sur lui. L'opposition *primaire/second(aire)* traduit ce fait à sa manière, et il faut, me semble-t-il, accepter cette contradiction entre l'incontestable subordination narrative et l'éventuelle prééminence thématique.

---

1. « Pon *(dit le docteur).* Alors, maintenant, nous beut-être bouvoir gommencer, oui ? » (trad. fr., Folio, p. 372). Certes, les marques d'adresse à ce narrataire singulier, le psychanalyste Spielvogel, ne manquent pas au cours du texte ; mais elles ne suffisent pas à indiquer une situation de dialogue *in praesentia,* comme dans *la Chute* – tout au plus suggèrent-elles le destinataire privilégié d'un récit écrit, sans exclure un public virtuel plus vaste : p. 157 : « C'est moi, bonnes gens » *(That's me, folks).* Le « mot de la fin » fait donc bien coup de théâtre, dans une situation narrative quelque peu truquée, car le « bonnes gens » est peu compatible avec le tête-à-tête analytique.

Cette prééminence m'empêche en tout cas (j'en viens à la troisième critique) d'accepter la correction proposée par Mieke Bal à l'emploi de l'adjectif *métadiégétique* pour désigner le récit produit par un narrateur intradiégétique. L'inconvénient de ce terme est celui que je signalais en note à la page 239 : que le préfixe fonctionne ici à l'inverse de l'usage logico-linguistique, pour qui un métalangage est un langage dans lequel on parle d'un (autre) langage, alors que dans mon lexique un métarécit est raconté dans un récit. Pour éviter cette inversion, Mieke Bal propose de substituer le terme *hyporécit,* qui marquerait heureusement, selon elle, la subordination hiérarchique de l'un à l'autre [1]. Mon objection est qu'il la marque trop, et par une image spatiale erronée, car s'il est vrai que le récit second *dépend* du récit primaire, c'est plutôt en ce sens qu'il *repose* sur lui, comme le deuxième étage d'un immeuble ou d'une fusée dépend du premier, et ainsi de suite. Pour moi, la « hiérarchie » (je n'aime pas beaucoup ce mot) des niveaux primaire, second, etc., est progressive, et je dis page 238 que chaque récit est à un niveau « supérieur » à celui du récit dont il dépend, et qui le supporte. Si je devais abandonner *méta-,* ce ne serait donc pas au profit d'*hypo-,* mais, bien évidemment et comme on peut s'y attendre, au profit d'*hyper-.* Mais cette figuration verticale n'est peut-être pas la plus heureuse possible, et je préfère de beaucoup le schéma d'inclusion que figuraient tout à l'heure mes bonshommes avec leurs phylactères. Le paradigme terminologique pourrait en être : *extradiégétique, intradiégétique, intra-intradiégétique,* etc. Mais décidément, *métadiégétique* me paraît assez clair, et il présente l'avantage, qui m'importe, de faire système avec *métalepse.* Quant à la contradiction avec l'usage linguistique, je m'en accommode, et apparemment les linguistes ne s'en soucient guère; après tout, *méta-,* a bien des usages, et *métaphysique* ne signifie pas un discours sur la physique, ni *métathèse* un compte rendu de thèse (une certaine dose de mauvaise foi n'est pas malvenue dans la controverse, c'est une des règles du genre).

Je proposais pages 242-243 une typologie des récits métadiégétiques, selon les « principaux types de relation » qu'ils entretiennent avec le récit primaire. Il s'agissait en fait de types de relations thématiques : on pourrait en considérer d'autres, par exemple selon le mode de narration (orale, comme dans *les Mille et Une Nuits,* écrite, comme pour le

---

1. 1977 p. 24, p. 35 *sq.* et 1981*a.* Rimmon 1983 emploie dans le même esprit l'adjectif *hypodiégétique* (p. 92).

Curieux impertinent, plastique, comme dans *Moyse sauvé*), mais la relation thématique elle-même a été subdivisée d'une manière un peu différente (et indépendamment de mon travail, qu'il ignorait) par John Barth [1], orfèvre en la matière, comme nous le savons déjà.

Je distinguais trois types fondamentaux, selon que le récit second, évoquant les causes ou les antécédents de la situation diégétique où il intervient, remplit une fonction explicative (Ulysse aux Phéaciens : « Voici ce qui m'amène ici ») ; ou qu'il raconte une histoire liée à celle de la diégèse par une relation, purement thématique, de contraste ou de similarité, qui peut éventuellement, si elle est perçue par le narrataire, avoir un effet sur la situation diégétique et la suite des événements (apologue de Menenius Agrippa) ; ou que, dépourvu de pertinence thématique, il joue un rôle dans la diégèse par la seule vertu de l'acte narratif lui-même (Schéhérazade repoussant la mort à coup de récits). Ce qui m'intéressait ici, et qui commandait la disposition de mes trois types, c'était l'importance (croissante) de l'acte narratif. Ce qui intéresse Barth, c'est proprement la relation thématique entre les deux actions. Aussi distingue-t-il un premier type, à relation nulle (« Racontez-nous donc une histoire en attendant que la pluie cesse ») ; un deuxième type, à relation purement thématique (c'est le premier cas de mon type 2) ; et un troisième type à relation « dramatique », c'est-à-dire où la relation thématique, perçue par le narrataire, entraîne des conséquences dans l'action primaire : c'est le deuxième cas de mon type 2. Ses trois types correspondent donc à mes deux derniers, ce qui prouve évidemment qu'il n'a pas perçu mon type 1, et qu'il subdivise mon type 2 plus nettement que je ne le faisais, en quoi il me semble qu'il a raison. Il me semble aussi, et enfin, qu'il sous-estime ici un fait qu'en bon lecteur des *Mille et Une Nuits* il n'ignore évidemment pas, et qui est la fonction diégétique, virtuellement capitale, de l'acte de narration intradiégétique : non seulement tuer le temps (ce qui n'est déjà pas rien), mais (comme Schéhérazade) gagner du temps et par là sauver sa tête.

Je crois donc que l'on peut, en amendant ma typologie par celle de Barth, aboutir à une répartition plus détaillée, sinon exhaustive, que je définirais plus nettement qu'autrefois en termes fonctionnels :

1. fonction explicative (par analepse métadiégétique, c'est mon ci-devant type 1) ;

2. une fonction à laquelle ni Barth ni moi n'avions pensé, et qui me vient maintenant à l'esprit : la fonction prédictive d'une prolepse

1. 1981. Cf. Liebow, 1982.

métadiégétique indiquant, non plus les causes antérieures, mais les conséquences ultérieures de la situation diégétique, comme le rêve de Jocabel sur l'avenir de Moïse dans *Moyse sauvé*; en relèvent tous les rêves prémonitoires, récits prophétiques, oracle d'Œdipe, sorcières de Macbeth, etc.;

3. fonction thématique pure, c'est le type 2 de Barth et le début de mon ex-type 2, dont la mise en abyme n'est, je le rappelle, qu'une variante très accentuée;

4. fonction persuasive : c'est la suite de mon ex-type 2 et le type 3 (« dramatique ») de Barth;

5. fonction distractive : c'est le type 1 de Barth;

6. fonction obstructive, c'est mon ex-type 3. Encore faut-il bien maintenir que dans les deux derniers types, la fonction ne dépend pas d'une relation thématique entre les deux diégèses, mais de l'acte narratif lui-même, qui pourrait être à la limite un acte de parole complètement insignifiant, comme dans l'obstruction parlementaire, ou comme les versets bibliques et les couplets de chansons que les deux reporters Harry Blount et Alcide Jolivet égrènent au guichet du télégraphe de Kolyvan pour occuper la ligne en attendant de pouvoir passer leurs dépêches [1].

Deux ou trois autocritiques spontanées pour en finir avec le niveau narratif. L'assertion (p. 241) selon laquelle « le récit au second degré est une forme qui remonte aux origines mêmes de la narration épique, puisque les chants IX à XII de l'*Odyssée* sont consacrés au récit fait par Ulysse » est encore plus erronée (et à vrai dire complètement stupide) que celle, déjà autocritiquée, concernant la haute antiquité épique des analepses – avec laquelle elle a beaucoup à voir, puisque l'analepse odysséenne est métadiégétique. On ne peut dire que l'*Iliade* abonde en récits seconds; on peut encore moins dire que l'*Odyssée* témoigne des « origines de la narration épique »; j'y verrais plutôt, et je l'ai dit ailleurs, l'amorce d'une transition, formelle et thématique, de l'épopée au roman. La nuit des temps, c'est un peu plus loin.

Une autre bévue (p. 242, mais déjà p. 227) concerne *Lord Jim*, dont j'ai par deux fois exagéré l' « enchevêtrement » narratif. Il n'y a là,

---

1. *Michel Strogoff,* chap. XVII. Il s'agit bien d'un cas limite : dans celui de Schéhérazade, ou du récit distrayant, l'effet d'obstruction ou de distraction dépend de l'intérêt du contenu métadiégétique. Encore ne faut-il pas confondre *intérêt* et *relation thématique* : le récit le plus captivant n'est pas toujours celui qui évoque le plus étroitement la situation dans laquelle on le raconte, mais par exemple celui qui sait le mieux « faire diversion ». Cette locution recouvre à la fois, et fort bien, nos types 5 et 6.

après tout, qu'un narrateur primaire, un narrateur second (Marlow), et, rapportés par celui-ci, quelques récits au troisième degré; on est assez loin des records des *Mille et Une Nuits* ou du *Manuscrit trouvé à Saragosse* ou de la *Ménélaïade*. J'avais dû affecter à la structure narrative une obscurité d'un autre ordre.

Mais la critique la plus massive que l'on pourrait adresser à cette section du *niveau,* serait peut-être que sa présence même exagère l'importance relative de cette catégorie par rapport à celle de la *personne,* et le tableau de la page 256 a certainement le défaut de croiser deux oppositions d'intérêt très inégal. De même que le caractère narratif ou dramatique d'une scène dialoguée dépend de la simple présence ou absence de quelques propositions déclaratives, le caractère intradiégétique d'une narration n'est bien souvent, comme on le voit clairement chez Maupassant, et encore dans *Jean Santeuil,* qu'un artifice de présentation, un poncif à bien des égards négligeable. Et réciproquement, il suffirait d'une phrase de présentation (ou, comme dans *Portnoy,* de conclusion) pour transformer, sans aucune autre modification nécessaire, une narration extradiégétique en narration enchâssée. Ainsi :

« Dans un salon parisien, trois hommes bavardaient devant la cheminée. L'un d'eux dit soudain :

– Mon cher Marcel, vous avez dû avoir une vie passionnante. Si vous nous la racontiez?

– Volontiers, répondit Marcel, mais je vous conseille de vous asseoir, car cela risque de prendre un certain Temps.

Tandis que ses auditeurs s'installaient dans des fauteuils confortables, Marcel s'éclaircit la voix et reprit :

– Longtemps je me suis couché de bonne heure, etc. [1]. »

XV

La conversion de « personne », c'est-à-dire en fait le changement de relation entre le narrateur et son histoire – c'est-à-dire encore, concrètement, le changement de narrateur – exige évidemment une

1. Cet incipit inédit, médiocre pastiche de Maupassant, ne figure *pas* dans les cahiers conservés à la Bibliothèque nationale, N.A.F. 16 640 à 16 702. J'en dois la communication exclusive à un collectionneur d'Olivet (Loiret) qui souhaite légitimement garder l'anonymat.

intervention plus massive et plus soutenue, et elle a toutes chances d'entraîner davantage de conséquences. Dorrit Cohn [1], s'élevant contre l'appréciation de Wayne Booth selon laquelle la catégorie de la personne aurait été, dans la narratologie traditionnelle, la distinction la plus « *overworked* », rétorque qu'elle s'est trouvée « *decidedly* under worked » par les narratologues français, et spécialement par l'auteur de *Figures III*. Cette critique n'est pas sans fondement, bien que je maintienne contre d'autres, et particulièrement, je l'ai dit, contre l'auteur de *la Transparence intérieure*, le reproche boothien de surestimation : le juste équilibre en cette matière n'est pas facile à trouver. Dorrit Cohn, qui me crédite d'avoir quelque peu réhabilité cette catégorie « sous les espèces des types hétéro- et homodiégétique », estime que je lui consacre encore trop peu d'attention, et trop tard pour l'intégrer à mes autres catégories fondamentales, et observe, après Shlomith Rimmon [2] et Mieke Bal [3], une regrettable absence de « corrélation avec la focalisation ». C'est ici le point essentiel, à quoi je vais revenir plus longuement, non sans noter dès maintenant que, dans l'esprit des plus déterminés champions de la Personne eux-mêmes, son importance semble se mesurer à sa relation aux questions de mode, ce qui confirme involontairement l'importance décisive de celles-ci.

Je veux d'abord réitérer mes réserves à l'égard du terme même de *personne*, que je ne maintiens que par concession à l'usage, en rappelant qu'à mes yeux tout récit est, explicitement ou non, « à la première personne », puisque son narrateur peut à tout moment se désigner lui-même par ledit pronom. Le roman classique ne s'en prive pas, comme en témoignent ces trois exemples pris, comme on dit, presque au hasard : « *Moi*, Chariton d'Aphrodise, secrétaire du rhéteur Athénagore, *je* vais conter une histoire d'amour qui est arrivée à Syracuse » ; « En un village de la Manche, du nom duquel *je* ne me veux souvenir, demeurait, il n'y a pas longtemps, un gentilhomme... » ; « *J*'ai dit au lecteur, dans le chapitre précédent, que M. Allworthy avait hérité une grande fortune... » Le premier était l'incipit du premier en date de tous nos romans, *Chéréas et Callirhoé*, chacun aura identifié le second, et le troisième ouvre le chapitre III de *Tom Jones*. La distinction courante entre récits « à la première » et « à la troisième » personne opère donc à l'intérieur de ce caractère inévitablement personnel de tout discours, selon la relation (présence ou absence) du

1. 1981*b*, p. 163.
2. 1976*a*, p. 59.
3. 1977, p. 112-113.

narrateur à l'histoire qu'il raconte, « première personne » indiquant sa présence comme personnage mentionné [1], « troisième personne » son absence comme tel. C'est ce que je désigne par les termes plus techniques, mais à mon sens moins ambigus, de narration homo- ou hétérodiégétique.

La critique des termes traditionnels est fort bien développée par Nomi Tamir [2] et Susan Ringler [3]. Mais la position de Ringler est plus radicale, puisqu'elle considère que certains récits, comme le *Portrait de l'artiste,* n'ont tout simplement *pas de narrateur.* D'un point de vue générique, la portée d'une telle assertion reste mal déterminée : Ringler semble y inclure le récit « à narrateur omniscient » de type balzacien, et le récit « figural » à focalisation interne fixe, mais ni Balzac ni le James des *Ambassadeurs* ne se privent de laisser apparaître un narrateur parfois fort encombrant. D'un point de vue descriptif, la formule *récit sans narrateur* ne me semble pouvoir désigner, très hyperboliquement (chez Joyce, chez Hemingway par exemple), que le silence tout relatif d'un narrateur qui s'efface autant que possible et veille à ne jamais se désigner lui-même (malgré les proclamations objectivistes de Flaubert, on sait que ce n'est pas le cas dans *Bovary*). Mais l'hyperbole me paraît ici franchement abusive.

Le mythe du récit sans narrateur ou de l'histoire qui se raconte elle-même remonte au moins, je le rappelle, à Percy Lubbock, dont les formules ont été presque littéralement (mais sans doute insciemment) reprises par Benveniste à propos de sa catégorie de l'*histoire (vs. discours).* J'ai cité plus haut [4] les phrases de Lubbock; je dois maintenant rappeler celles de Benveniste, bien qu'elles soient dans toutes les mémoires : « A vrai dire, il n'y a même plus alors de narrateur. Les événements sont posés comme ils sont produits à mesure qu'ils apparaissent à l'horizon de l'histoire. Personne ne parle ici; les événements semblent se raconter eux-mêmes [5]. » Comme on le voit, Benveniste tempère d'un *semblent* l'idée que les événements se raconteraient eux-mêmes, mais il est sans nuance aucune quant à l'absence du narrateur. Rarement formule imprudente, aussitôt prise à

---

1. Je précise « mentionné », car on pourrait imaginer une histoire où le narrateur, implicitement présent comme personnage, ne serait jamais mentionné parce qu'il ne jouerait aucun rôle. Mais j'imagine que la première du pluriel serait difficile à éviter.
2. 1976*b.*
3. P. 158 *sq.*
4. P. 30.
5. *Problèmes de linguistique générale,* p. 241.

la lettre, aura exercé plus de ravages. Et comme j'ai contribué à la vulgariser dans le champ de la poétique, je crois devoir mettre ici les choses au point.

Dans « Frontières du récit [1] », je citais ce texte avec une approbation totale : « description parfaite de ce qu'est en son essence, et dans son opposition radicale à toute forme d'expression personnelle du locuteur, le récit à l'état pur... absence parfaite, non seulement du narrateur, mais bien de la narration elle-même... le texte est là sans être proféré par personne, etc. ». J'aurais sans doute mieux fait, ce jour-là, de me fouler le poignet, mais (à défaut) j'ajoutais aussitôt que l'opposition entre « récit » et discours n'était jamais aussi absolue, qu'aucun des deux états ne se trouvait jamais à l'état pur (je le montrais sur l'exemple même de *Gambara* invoqué par Benveniste), et surtout, que l'opposition n'était pas entre deux termes symétriques, mais entre un état général (le discours) et un état particulier marqué par des exclusions ou abstentions : le récit, qui n'était donc pour moi qu'*une forme du discours,* où les marques de l'énonciation n'étaient jamais que provisoirement et précairement suspendues (j'aurais dû ajouter : *et très partiellement,* car enfin tout énoncé est en lui-même une trace d'énonciation : c'est, me semble-t-il, un des enseignements de la pragmatique). Depuis, le mythe s'est répandu avec l'irrésistible puissance de séduction des formules excessives, et nous la retrouvons par exemple, je l'ai dit, chez Ann Banfield (1982), où elle se conforte à merveille de l'impériale assurance propre à la linguistique chomskyenne.

Le point de départ de Banfield est l'observation juste (sinon originale) que certaines formes caractéristiques du récit écrit comme l'aoriste (passé simple français) et le discours indirect libre, sont à peu près inconnues de la langue parlée. De cette exclusion de fait, elle tire une impossibilité de principe : de telles phrases seraient radicalement « indicibles » *(unspeakable).* Glissement caractéristique de la grammaire générative, toujours prompte à décréter « inacceptable » ce qui n'est pas encore accepté. De cette « indicibilité » supposée, Banfield déduit hardiment que les textes où figurent de tels énoncés ne peuvent être, *et donc ne sont,* proférés par personne. Nul n'y parle donc, et voilà pourquoi votre fille est muette, la fonction de communication éliminée, l'auteur « définitivement disparu du texte » (p. 222), le narrateur avec lui, le langage devenu « connaissance objective », « ses aspects subjectifs rendus opaques » (p. 271). Cette métamorphose du discours

---

1. *Figures II,* p. 62-64.

répond, paraît-il, à la « division moderne entre histoire et conscience, objet et sujet. Le récit est ainsi la forme littéraire qui exhibe la structure même de la pensée moderne » (p. 254) — c'est-à-dire contemporaine de la pensée cartésienne et de l'invention par Huygens de l'horloge exacte et du télescope : « Sans aucun doute, ce n'est pas par hasard si c'est au moment de l'histoire intellectuelle parfois appelé cartésien qu'apparaît en France l'usage dans la phrase d'un temps historique étranger à la parole et, en même temps, dans les Fables de la Fontaine, l'usage du discours indirect libre, et si à la même époque furent inventés l'horloge à pendule et le télescope » (p. 273). Sans aucun doute, ce n'est pas par hasard.

Ann Banfield cite avec quelque dédain (p. 68-69) les auteurs, comme Barthes et Todorov, qui ont affirmé au contraire l'impossibilité d'un récit sans narrateur. Je me range néanmoins sans hésitation dans cette pitoyable cohorte, puisque l'essentiel de *Discours du récit*, à commencer par son titre, repose sur l'assomption de cette instance énonciatrice qu'est la narration, avec son narrateur et son narrataire, fictifs ou non, représentés ou non, silencieux ou bavards, mais toujours présents dans ce qui est bien pour moi, j'en ai peur, un acte de communication. Pour moi donc, les affirmations répandues, nouvel avatar du vieux *showing,* et donc de la très vieille *mimésis,* selon lesquelles personne ne parle dans le récit, procèdent, outre l'entraînement du poncif, d'une étonnante surdité textuelle. Dans le récit le plus sobre, quelqu'un me parle, me raconte une histoire, m'invite à l'entendre comme il la raconte, et cette invite — confiance ou pression — constitue une indéniable attitude de narration, et donc de narrateur : même la première phrase de *The Killers,* tarte à la crème du récit « objectif », « *The door of Henry's lunch-room opened...* », présuppose un narrataire capable entre autres d'accepter la familiarité fictive de « Henry », l'existence de sa salle à manger, l'unicité de sa porte, et ainsi, comme on dit fort bien, d'*entrer* dans la fiction. De fiction ou d'histoire, le récit est un discours, avec du langage on ne peut produire que du discours, et même encore dans un énoncé aussi « objectif » que *L'eau bout à 100 degrés,* chacun peut et doit entendre dans l'usage de l'article « notoire » un appel très direct à sa connaissance de l'élément aqueux. Le récit sans narrateur, l'énoncé sans énonciation me semblent de pures chimères, et, comme telles, « infalsifiables ». Qui a jamais réfuté l'existence d'une chimère? Je ne puis donc opposer à ses fidèles que cette confession désolée : « Votre récit sans narrateur existe peut-être, mais depuis quarante-sept ans que je lis des récits, je ne l'ai rencontré nulle part. » *Désolée* est d'ailleurs une clause de pure courtoisie, car si je rencontrais un tel récit, je m'enfuirais à toutes jambes : récit ou pas, quand j'ouvre un livre, c'est pour que l'auteur *me parle.* Et comme je ne suis encore ni sourd ni muet, il m'arrive même de lui répondre.

La distinction secondaire entre l'homodiégétique à narrateur-protagoniste (« héros ») et à narrateur-témoin est ancienne, puisqu'on la trouve déjà en 1955 dans l'article de Friedman. Je n'y ai ajouté que le terme d'*autodiégétique* pour désigner le premier cas, et l'idée, un peu rapide, que le narrateur n'a le choix qu'entre ces deux rôles extrêmes. Je reconnais que cettre hypothèse n'a aucun fondement théorique, et qu'*a priori* rien n'interdirait qu'un récit fût assumé par un personnage secondaire, mais actif, de l'histoire. Je constate seulement que je n'en connais pas d'exemple, ou plus exactement que la question ne se pose pas en ces termes : après tout, Watson, Carraway ou Zeitblom sont bien des espèces de deutéragonistes, ou tritagonistes, dans l'histoire qu'ils racontent et où ils ne passent pas tout leur temps derrière un trou de serrure. Mais tout se passe comme si leur rôle de narrateur, et leur fonction, *comme narrateurs,* de mise en relief du héros, contribuait à effacer leur propre conduite, ou plus exactement à la rendre transparente, et avec elle leur personnage : si important que puisse être leur rôle à tel ou tel moment de l'histoire, leur fonction narrative oblitère leur fonction diégétique. A cette irrésistible oblitération n'échappe que le héros, qui n'a personne devant qui s'effacer, mais j'ajouterais volontiers : *et encore.* Le héros autobiographe est bien souvent lui aussi en position d'observateur, et la notion de *héros-témoin* n'est peut-être pas si contradictoire qu'on pourrait le penser *a priori :* le picaro observe souvent plus qu'il ne participe, Des Grieux subit sa passion et la conduite incompréhensible de sa compagne, et Marcel, jusqu'à la révélation finale qui l'investit de sa mission, n'est guère plus lui-même qu'un héros passif [1]. Le « roman à la première personne », comme autobiographie fictive, est le plus souvent un roman d'apprentissage, et l'apprentissage consiste souvent pour l'essentiel à regarder et écouter, ou à soigner ses ecchymoses. (Je ne dirai pas pour autant que la première personne soit la « voix » obligée du roman d'apprentissage : *Wilhelm Meister* est une assez éclatante exception. D'autre part, il existe au moins un cas de roman d'apprentissage où la narration est confiée à un témoin extérieur : c'est *The Way of All Flesh.* Et *Doktor*

---

1. Je rappelle cette affirmation du *Degré zéro,* certes hyperbolique, mais non dépourvue de toute vérité : « Dans le roman, d'ordinaire, le *je* est témoin, c'est le *il* qui est acteur. »

Faustus n'en est pas loin, qui pousse simplement l'apprentissage un peu au-delà des limites habituelles.)

Je ne sais pas si je maintiendrais aujourd'hui l'idée d'une frontière infranchissable entre des deux types hétéro- et homodiégétique. Franz Stanzel[1] tient au contraire, et de façon pour moi souvent convaincante, à ménager la possibilité d'une gradation progressive : soit du côté de la narration « figurale » (focalisée), où certains auteurs, comme le Thackeray d'*Henry Esmond,* alternent le *je* et le *il ;* soit du côté du type « auctorial », où des textes comme *Madame Bovary, Vanity Fair, Karamazov,* avec leur narrateur-contemporain-concitoyen, flirtent très sensiblement avec le type homodiégétique à narrateur-témoin, dont l'exemple le plus pur pourrait bien être celui des *Possédés,* très présent, mais non constamment, sans véritable rôle dans l'action, et soigneusement (et contrairement à Watson ou Zeitblom) maintenu dans un semi-anonymat. (« C'est M. G.-v, un jeune homme qui a reçu une instruction classique, et est accueilli dans la meilleure société » : ainsi le présente Lipoutine au chapitre III-9.) J'ai dit un peu plus haut que la seule présence d'un épilogue au présent pouvait y suffire, et je n'ai aucune raison de m'en dédire : contrairement au présent de commentaire, ou de référence au seul moment de la narration, cet emploi du présent marque sans équivoque une relation du narrateur à son histoire, qui est une relation de contemporanéité. A partir de quoi l'on hésitera légitimement entre un diagnostic d'homodiégèse ou d'hétérodiégèse – selon la définition de ces termes, qui après tout n'a elle-même rien d'absolu. Je serais donc ici plutôt porté aujourd'hui à accorder cette frange au gradualisme de Stanzel, malgré la réserve de Dorrit Cohn, qui objecte la clause d'impossibilité grammaticale : « Aucun texte, dit-elle, ne peut être placé *sur* la frontière qui sépare les narrations à la première et à la troisième personne, pour la simple raison que la différence grammaticale entre les personnes n'est pas relative mais absolue[2]. » La « raison » est incontestable, mais la conséquence l'est ou non selon le sens donné au mot *texte :* il serait difficile à une *phrase* d'être à la fois dans les deux camps, mais un texte plus étendu peut alterner, comme *Esmond* ou *la Route des Flandres,* ou se placer, comme *Bovary* ou *Karamazov,* si près de la frontière qu'on ne sait plus trop de quel côté, ou jouer des capacités de (dis)simulation du narrateur, comme fait Borges dans *la Forme de l'épée,* que je citais page 254, ou Max Frisch dans *Stiller.* Dorrit Cohn raisonne ici un peu

1. Voir plus loin chap. XVII.
2. 1981*b*, p. 168.

trop en termes de *personne grammaticale,* et j'ai déjà dit la médiocre fiabilité de ce critère. Si on l'abandonne au profit de l'opposition homodiégèse/hétérodiégèse, on doit bien admettre la possibilité, et observer l'existence, de situations frontalières, mixtes ou ambiguës : celle du chroniqueur contemporain, dont je viens d'évoquer quelques exemples, toujours au bord d'une participation, ou pour le moins d'une présence à l'action qui est proprement celle du témoin; ou, plus rare et plus subtile, celle de l'historien ultérieur, qui raconte, comme le narrateur de *Karamazov,* des événements qui se sont produits « dans son district » (proximité géographique), mais bien avant sa naissance (distance temporelle), et qu'il ne connaît que par témoignages interposés. C'est typiquement la situation du narrateur primaire d'*Un roi sans divertissement,* qui exprime lui-même à merveille l'ambiguïté de sa situation : « On eut ensuite de très belles journées. Je dis *on,* naturellement je n'y étais pas puisque tout ça se passait en 1843, mais j'ai tellement dû interroger et m'y mettre pour avoir un peu du fin mot que j'ai fini par faire partie de la chose [1]. » Giono, on le sait, qualifiait ce récit de *chronique,* mais le statut de ce « genre » est chez lui fort indécis, et il englobe aussi bien, à côté d'*Un roi sans divertissement,* un récit autodiégétique comme *Noé* ou une chronique contemporaine comme *le Moulin de Pologne.* Cette appellation mal contrôlée ne doit donc pas nous retenir de réserver le terme de *chroniqueur* au narrateur contemporain de *Karamazov* ou du *Moulin,* et de proposer celui d'*historien* (fictif, bien sûr) pour celui d'*Un roi.* La frontière, décidément peu sûre, entre l'homo- et l'hétérodiégèse passe peut-être entre ces deux types, si tant est qu'il y reste assez de place pour une ligne imaginaire, à moins que ce ne soit, non loin de là, entre le type *Karamazov* et le type *Possédés.* Je ne dirais donc plus, comme jadis : « l'absence est absolue mais la présence a ses degrés ». L'absence aussi a ses degrés, et rien ne ressemble plus à une faible absence qu'une présence falote. Ou plus simplement : à quelle *distance* commence-t-on d'être absent?

Je ne prétendrai pas pour autant que le choix de personne (grammaticale) soit complètement indépendant de la situation diégétique du narrateur. Il me semble bien au contraire que l'adoption d'un *je* pour désigner l'un des personnages impose mécaniquement et sans aucune échappatoire la relation homodiégétique, c'est-à-dire la certitude que ce personnage *est* le narrateur; et inversement, mais tout aussi

1. Pléiade, p. 471.

71

rigoureusement, l'adoption d'un *il* implique que le narrateur *n'est pas* ce personnage. Cette seconde affirmation pose sans doute plus de difficultés que la première, car, en vertu d'une confusion courante entre auteur et narrateur, elle semble se heurter à une pratique attestée, et même courante : celle que Philippe Lejeune appelle « autobiographie à la troisième personne [1] ». Je dis « courante », parce qu'il est sans doute arrivé à chacun de nous, dans la vie la plus quotidienne, de parler de soi à la troisième personne, ne serait-ce que (je ne sais trop pourquoi [2]) dans l'allocution à de très jeunes enfants, où son emploi s'étend même souvent à la désignation du destinataire : « Et maintenant, Mimi va être bien sage : Papa revient dans cinq minutes. » Et j'observe encore que, peut-être portés par leur grand âge à considérer tous leurs interlocuteurs comme des gamins, bien des vieillards généralisent cet emploi, se désignant eux-mêmes comme « le vieux » ou « la grand-mère ». Quant aux textes littéraires, je renvoie au cas inévitable des *Commentaires* de César et aux exemples cités par Lejeune, partiels (Gide, Leiris, Barthes), ou intégraux (Henry Adams, Norman Mailer). Les textes ou énoncés de ce genre me semblent constituer, comme le dit à peu près Lejeune, des cas de dissociation fictive, ou figurale [3], entre les instances auctoriale, narratoriale et actoriale : on sait ou l'on devine que le héros « est » l'auteur, mais le type de narration adopté feint que le narrateur ne soit pas le héros. Pour cette raison, on devrait ici parler d'*autobiographie hétérodiégétique* [4], bien que cette expression (comme

1. 1980, chap. II.
2. Cela a certainement à voir avec une sorte d'usage démonstratif et pédagogique de la langue; on habitue de même, quoique sans le vouloir, les jeunes enfants à parler d'eux à la troisième personne, sans doute parce que cette forme permet de transférer sans transformation grammaticale un énoncé d'une bouche à l'autre : « Mimi est un grand garçon, il mange sa soupe avec une fourchette. »
3. « Figure d'énonciation » (1980, p. 34); je disais moi-même p. 252 « énallage de convention », ce qui revient au même : l'énallage de *je* en *il* est bien une figure d'énonciation.
4. Le roman de type *Gil Blas* étant évidemment, et systématiquement, une hétérobiographie autodiégétique. Fictive, dans ce cas, mais il en existe de plus liées à la réalité historique ou personnelle : *Robinson Crusoé* est un peu (très peu), et malgré le changement de nom, une biographie de Selkirk, et les pseudo-autobiographies de personnes réelles du type *Mémoires de d'Artagnan* (par Courtilz de Sandras), *Mémoires d'Hadrien* (par Marguerite Yourcenar) ou *L'Allée du roi,* pseudo-mémoires de Mme de Maintenon par Françoise Chandernagor, sont bien l'exact pendant, dans l'ordre du récit « référentiel », de *The Education of Henry Adams.*

déjà, quoique moins crûment, celle de Lejeune) fasse entorse – une entorse que Lejeune lui-même a parfaitement assumée – à la définition lejeunienne de l'autobiographie : identité des trois instances de l'auteur, du narrateur et du héros.

Cette dissociation figurale impose, me semble-t-il, deux (c'est-à-dire trois) lectures possibles : ou bien (le lecteur perçoit que) l'auteur, parlant manifestement de lui-même, feint de parler d'un autre (Stendhal évoquant « Dominique » ou « Salviati », Gide « Fabrice » ou « X »); ou bien (il perçoit que), toujours parlant manifestement de soi, l'auteur feint que ce soit un autre qui en parle : Gide donnant ici ou là la parole à un biographe imaginaire nommé Édouard, et, d'une manière beaucoup plus spectaculaire, Gertrude Stein feignant de laisser écrire sa propre biographie par Alice Toklas. Dans le premier cas, l'auteur ne fait qu'un avec le narrateur, et c'est le personnage qui est fictivement dissocié; dans le second cas, l'auteur (signataire du texte) ne fait qu'un avec le personnage (ce livre signé Gertrude Stein raconte la vie de Gertrude Stein), et c'est le narrateur (Toklas) qui est fictivement dissocié. Mais dans les deux cas, le narrateur est dissocié du personnage, et la narration est, de ce fait, hétérodiégétique. Il peut enfin arriver, en particulier lorsque les diverses instances ne sont pas (toutes) nommées et par là dramatisées, que le lecteur hésite légitimement entre ces deux interprétations, c'est-à-dire entre les deux points de dissociation possibles : c'est à mon sens le cas des pages hétérodiégétiques du *Roland Barthes par Roland Barthes,* où l'on ne sait trop (pour reprendre les termes de Lejeune sur Leiris [1]) si l'on doit penser que l'auteur parle de lui-même en feignant de parler d'un autre, comme Balzac se décrivant sous les traits de Marcas ou de Savarus, ou en feignant qu'un autre parle de lui, comme Gertrude Stein via Alice Toklas. Cette indétermination constitutive doit évidemment être respectée et maintenue. Elle me semble d'ailleurs également présente dans les emplois courants : dans « Mimi a fait boum » (par la fenêtre du quatrième étage), bien difficile de dire si Mimi-locuteur, assumant le récit, objectifie Mimi-acrobate, ou si, assumant l'acrobate, il objectifie le narrateur en pastichant le langage d'autrui. Mimi, interrogé sur ce point, refuse cette problématique : la complaisance d'un enfant de trois ans a ses limites. Même incertitude quand l'arrière-grand-père de Mimi déclare : « Le vieux, il se fait vieux. »

---

1. 1980, p. 34.

XVI

Dorrit Cohn suggère [1] que la référence proustienne m'a fait accorder davantage d'attention au régime homodiégétique qu'à l'hétérodiégétique. L'explication est plausible, mais je ne suis pas sûr que l'observation soit exacte. En fait, sur les quelque huit pages que je consacre à la « personne » dans le récit proustien, plus de la moitié portent non sur son caractère homodiégétique (final), mais sur son passage de la troisième personne de *Jean Santeuil* à la première personne de la *Recherche,* suivant ainsi d'avance le judicieux conseil de Dorrit Cohn : « De toute évidence, il faut faire constamment la navette par-dessus la frontière pour prendre conscience des différences et des particularités régionales. »

J'exagère, bien sûr, puisque à la suite de Proust je n'ai fait ici qu'un aller simple. Mais il m'est arrivé de lire des récits à la troisième personne, et de faire, mentalement, un peu de rapide *commuting* d'un régime à l'autre, chevauchant la frontière comme Charlot à la fin de je ne sais quel film. J'ai même envisagé [2] quelques exercices, réels ou imaginaires, de *transvocalisation,* ou récriture de première en troisième et réciproquement. Quoi qu'il en soit, Dorrit Cohn elle-même complète très heureusement mon unique voyage par quelques exemples de la conversion inverse, ou passage, apparemment plus fréquent [3], de la première à la troisième personne : celui de Dostoïevski pour *Crime et Châtiment,* celui de James pour *les Ambassadeurs,* celui de Kafka pour *le Château.* Ces quatre exemples (en comptant celui de Proust) prouvent sans doute une décision motivée de conversion narrative, et donc le sentiment chez ces auteurs d'une supériorité, ou du moins d'un avantage circonstanciel d'un régime ou de l'autre – et donc à coup sûr, de la pertinence de la question. (Bien entendu, on peut contester la relation de récriture transvocalisante que je suppose ici

1. 1981*b*, p. 163.
2. *Palimpsestes,* p. 335-339.
3. 1981*a*, p. 194-197; Stanzel (1981) mentionne par exemple les cas de Jane Austen pour *Sense and Sensibility* et de Joyce Cary pour *Prisoner of Grace;* J. Petit, deux autres chez Mauriac, pour *Le Désert de l'amour* et *Le Baiser au lépreux;* dans l'autre sens (celui de Proust), on connaît la conversion de Gottfried Keller unifiant à la première personne, vingt-cinq ans après la première publication, l'ensemble de *Grüner Heinrich.*

entre *Santeuil* et la *Recherche,* que l'on peut considérer comme deux œuvres absolument distinctes – intéressante controverse. Il n'y en aurait pas moins conversion narrative de l'auteur dans le passage de l'une à l'autre, et l'on pourrait sans doute trouver des exemples plus massifs d'auteurs passés, au cours de leur carrière, d'une prédilection à l'autre : c'est grosso modo le cas de Hammett, passé de la première à la troisième.)

Je ne suis en revanche pas certain que l'on puisse tirer de ces quelques exemples une idée bien nette de la réponse, c'est-à-dire de l'avantage précis qu'apporte chacune de ces conversions. La fréquentation des variantes et des divers avant-textes peut induire au scepticisme à l'égard de l'idée reçue, et un peu trop optimiste, de la supériorité générale de l'état final – une telle valorisation relevant le plus souvent de la fameuse motivation rétrospective. La conversion (narrative) de Dostoïevski ne s'accompagne apparemment d'aucun commentaire, et n'a laissé aucune trace de la version première. Celles de James pour *Maisie* et *les Ambassadeurs* ne sont attestées que par les témoignages tardifs des préfaces; la difficulté évoquée pour *Maisie* est assez claire (vocabulaire limité de la fillette) mais peu convaincante (Maisie aurait pu raconter cette histoire bien des années plus tard); quant aux *Ambassadeurs,* le commentaire de James est aussi vague que véhément : il semble faire de la tentation homodiégétique un « gouffre » auquel il aurait échappé, l' « abîme le plus sombre du romanesque » (ces vieux garçons exagèrent toujours le peu qu'il se passe dans leur vie). Le seul de ces exemples qui permette une comparaison est celui du *Château,* et le commentaire de Dorrit Cohn illustre bien l'ambiguïté du cas : elle montre parfaitement la facilité de la transformation (simple substitution de pronoms) et l'équivalence modale entre la rédaction autodiégétique initiale et la version finale, hétérodiégétique focalisée; puis, saisie d'un remords envers sa thèse, elle ajoute : « Ce serait pourtant une grave erreur que de se fonder sur le cas du *Château* pour affirmer que la personne grammaticale est sans importance pour ce qui est de la structure et de la portée d'un récit. » On attend donc ici une description des avantages du parti final; mais Cohn se réfugie aussitôt dans l'argument circulaire de l'infaillibilité du choix de l'auteur : « Kafka n'aurait certainement pas pris la peine de s'astreindre à des corrections aussi pointilleuses en pleine composition de son livre s'il s'agissait là d'un détail sans importance. » On pourrait assez bien arguer dans l'autre sens : « Kafka n'aurait certainement pas entrepris une telle correction en pleine composition de son livre s'il avait estimé qu'elle entraînerait des modifications considérables » –

sans compter qu'après tout l'ultime décision de Kafka (prière d'incinérer) n'encourage pas précisément à approuver tous ses choix. Quoi qu'il en soit, nous voici au rouet, dont Dorrit Cohn ne peut, comme tout un chacun, sortir que par une conjecture : « *Sans doute* a-t-il eu *plus ou moins* clairement conscience que " K " était plus utile à son propos que " je ", et les inconvénients des techniques rétrospectives pour rendre compte de la vie intérieure *ont pu* jouer *un* rôle dans sa décision » (je souligne les clauses dubitatives ou évasives). Le recours est en effet toujours le même : c'est la description par Lubbock des « inconvénients » liés au caractère (nécessairement?) « rétrospectif » du récit à la première personne [1].

J'avoue que toutes ces descriptions *a priori* et justifications *a posteriori* me laissent sceptique. Les conséquences modales (puisque encore une fois, c'est essentiellement de cela qu'il s'agit) du choix narratif ne me paraissent ni si massives ni surtout si mécaniques qu'on le dit souvent. Dorrit Cohn elle-même a bien montré sur l'exemple de *la Faim* de Knut Hamsun qu'un récit homodiégétique « rétrospectif » pouvait être aussi rigoureusement focalisé sur le héros qu'un récit « figural », et Proust le manifeste en bien des pages de la *Recherche*. Je ne suis donc pas absolument convaincu qu'une récriture en première personne de *Crime et Châtiment,* des *Ambassadeurs* ou du *Château* serait une telle catastrophe (un rude pensum, certes, mais loin de moi l'idée d'y condamner quiconque). Inversement, la raison, elle aussi toute conjecturale, que j'assigne au choix final de Proust (nécessité d'affecter au discours du narrateur l'investissement idéologique de la *Recherche*) peut sembler bien fragile : la « troisième personne » n'a apparemment pas trop bridé en ce sens, par exemple, ni Mann, ni Broch, ni Musil. Mes diverses expériences, réelles ou imaginaires, de transvocalisation m'ont convaincu de cinq choses : 1. la souplesse d'emploi des partis vocaliques les rend à peu près équivalents du point de vue des conséquences modales; 2. la seule conséquence en principe inévitable, à savoir l'impossibilité de focaliser sur un personnage après avoir vocalisé (et donc préfocalisé) sur un autre, peut être contournée par voie d'infractions paraleptiques plus ou moins adroites; 3. comme l'ont bien vu James, Lubbock *et al.,* la narration hétérodiégétique *peut* donc, naturellement et sans infraction, davantage que l'homodiégétique; 4. *mais* un artiste peut toujours, comme on sait, préférer les inconvénients stimulants de la contrainte aux vertus sédatives de la

---

1. *The Craft of Fiction,* p. 144-145; voir plus récemment Mendilow, cité *Figures III,* p. 189.

liberté; 5. enfin, l'importance du choix vocalique pourrait bien ne tenir à aucun avantage ou inconvénient d'ordre modal, ou temporel, mais simplement au fait brut de sa présence : l'écrivain, j'imagine, a un jour *envie* d'écrire tel récit à la première personne, tel autre à la troisième, pour rien, comme ça, pour changer; certains sont absolument réfractaires à l'une ou l'autre, pour rien, comme ça, parce que c'est elle, parce que c'est eux : pourquoi certains écrivent-ils à l'encre noire, et d'autres à l'encre bleue? (Ce sera l'objet d'une autre étude.) Le lecteur, à son tour, reçoit tel récit muni de son parti vocalique, qui lui en semble aussi indissociable que la couleur des yeux qu'il aime [1], et qu'il croit leur convenir mieux que toute autre, faute d'une contre-épreuve. Bref, la raison la plus profonde (la moins *conditionnelle*) serait ici, comme souvent ailleurs, « parce que c'est comme ça ». Tout le reste est motivation.

XVII

Cette réserve à l'égard de l'influence supposée de la voix sur le mode ne suffit pas à congédier la question, laissée en suspens, de leur considération conjointe sous l'espèce de ce que l'on nomme habituellement une « situation narrative ». Ce terme complexe a été proposé voici plus d'un quart de siècle par Franz Stanzel, qui n'a cessé depuis d'approfondir et de réviser la classification qu'il en avait proposée en 1955. Dorrit Cohn [2] reproche à juste titre, à moi-même et à l'ensemble de la « narratologie française », d'avoir méconnu l'apport de cet important poéticien, et il est certain qu'une lecture attentive de son premier livre nous aurait évité, dans les années soixante, quelques « découvertes » tardives. Ce n'est pas ici le lieu d'un exposé qui ne serait certes pas superflu sur les rives de la Seine, mais qui a été fait ailleurs par Dorrit Cohn, d'une manière remarquable et qui nous concerne de près, puisque son compte rendu de *Theorie des Erzählens* passe en partie par une comparaison entre cet ouvrage et *Discours du récit*. Je renvoie donc le lecteur à cet article très dense, et bien sûr aux deux principaux livres de Stanzel, bientôt disponibles soit dans

1. Par exemple ceux de Gilberte, dont Marcel n'aime tant le bleu que parce qu'ils sont noirs (I, p. 141).
2. 1981*b.*, p. 158-160. C'est évidemment à cet article que je me réfère dans tout ce chapitre.

leur texte allemand soit en traduction anglaise – en attendant une éventuelle traduction française.

Comme le dit et le montre très bien Dorrit Cohn, la différence essentielle entre ces deux démarches, c'est que celle de Stanzel est « synthétique » alors que la mienne (je le revendique à plusieurs reprises) est analytique [1]. « Synthétique » est peut-être un peu trompeur, car ce mot donne à penser que Stanzel effectuerait après coup la synthèse d'éléments qu'il aurait d'abord isolés et étudiés chacun pour lui-même. C'est tout le contraire : en 1955, Stanzel part de l'intuition globale d'un certain nombre de faits complexes (mais c'est déjà moi qui les qualifie ainsi) qu'il appelle des « situations narratives » : l'*auctoriale* (que je ne puis décrire qu'en l'analysant, dans mes termes, comme narration hétérodiégétique non focalisée, exemple *Tom Jones*), la *personnelle,* plus tard rebaptisée *figurale* (hétérodiégétique à focalisation interne, exemple *Les Ambassadeurs*), et la *Ich-Erzählung* (homodiégétique, exemple *Moby Dick*). « Syncrétique » serait donc une qualification plus juste, si elle ne comportait quelque connotation péjorative. Le fait est simplement que Stanzel se donne comme point de départ cette observation empirique incontestable, que l'immense majorité des récits littéraires se répartit entre ces trois situations qu'il qualifie justement de « typiques ». Ce n'est que par la suite, et surtout dans son dernier livre, qu'il entreprend d'analyser ces situations selon trois catégories élémentaires, ou fondamentales, qu'il appelle la *personne* (première ou troisième), le *mode* (c'est à peu près, selon Dorrit Cohn, ce que j'appelle la « distance » : dominance du narrateur ou d'un personnage « réflecteur », selon le terme emprunté à James) et la *perspective* (c'est ce que j'appelle également ainsi, mais réduit chez Stanzel à une opposition interne/externe qui ramène en fait la focalisation externe à une focalisation zéro [2]). Je ne suivrai pas Dorrit Cohn dans l'exposé très circonstancié qu'elle fait des avantages et des inconvénients de cette triade de catégories, dont la troisième lui semble

1. Les autres différences relevées par Cohn sont : mon recours constant au récit proustien, alors que Stanzel se situe d'emblée dans la théorie générale ; la recherche constante, chez lui, d'une gradation que figurent bien ses schémas circulaires, auxquels s'opposent mes tableaux aux cases étanches ; son indifférence aux questions de niveau (son système, dit Cohn, est « unidiégétique ») ; et bien sûr le fait qu'il ne s'occupe pas des questions de la temporalité.
2. En 1955, Stanzel annexait, sous le terme de narration *neutre,* la focalisation externe à son type « personnel ». Depuis 1964, il semble avoir totalement renoncé à cette catégorie.

superflue; pour moi, bien sûr, ce serait plutôt la deuxième, et parce que la notion de distance *(diégésis/mimésis)* m'est depuis longtemps suspecte, et parce que la spécification qu'en donne Stanzel (narrateur/réflecteur) me semble facilement réductible à notre commune catégorie de la perspective. Je ne la suivrai pas non plus dans le labyrinthe circulaire que constitue, dans la grande tradition germanique (Goethe-Petersen), la mirifique rosace [1] par quoi Stanzel figure la gradation des situations narratives et l'enchevêtrement d'axes, de frontières, de moyeux, de rayons, de points cardinaux, de jantes et d'enveloppes qui concrétisent le dernier (en date) état de son système. J'ai dit ailleurs les sentiments ambigus que m'inspire ce type d'imaginaire, qui est ici l'occasion, entre autres, d'antithèses stimulantes et d'accouplements aussi féconds qu'inattendus. Dorrit Cohn parle à ce propos d'un « encerclement » du récit; moi qu'on accuse parfois de placer la littérature dans des boîtes ou derrière des grilles, je serai le dernier à condamner cette façon de cadastrer son champ, qui en vaut une autre. Le principal mérite de Stanzel, au demeurant, n'est pas dans ces figurations totalisantes, mais dans le détail des « analyses », c'est-à-dire des lectures. Comme tout poéticien qui se respecte, Stanzel est d'abord un critique. Mais ce n'est évidemment pas cet aspect qui peut nous retenir ici.

Toute la complexité (et parfois l'inextricabilité) de son dernier système tient à sa volonté de rendre compte des trois « situations narratives » par le recoupement de trois catégories analytiques (l'obsession trinitaire fait encore ici des siennes). Pour un esprit combinatoire, la croisée de deux oppositions de personne par deux oppositions de mode par deux oppositions de perspective devrait donner lieu à un tableau de huit situations complexes. Mais sa figuration circulaire et ses recoupements diamétraux conduisent Stanzel à un partage en *six* secteurs fondamentaux, qui peut se figurer comme suit (ce cercle simplifié par mes soins ne figure, je le précise, nulle part chez lui) et où l'on voit apparaître entre les trois situations « typiques » initiales trois formes intermédiaires, elles aussi fort canoniques : monologue intérieur, discours indirect libre et narration « périphérique ». Mis à part le dernier, qui se ramène pour l'essentiel à la situation de « je-témoin », ces états-tampons me paraissent difficiles à accepter dans un tableau de situations narratives, puisque les deux autres sont plutôt des types de présentation des discours de personnage.

---

1. *Theorie,* p. 334; Cohn, p. 162.

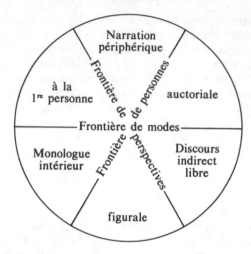

Peu satisfaite elle non plus de cette sexipartition, Dorrit Cohn, arguant d'une phrase où Stanzel lui-même reconnaît « une étroite correspondance entre *perspective* interne et *mode* dominé par le narrateur », propose de supprimer l'inutile catégorie de la perspective, ce qui réduit d'un coup le système à une croisée de deux oppositions : personne et mode. D'où ce nouveau tableau circulaire :

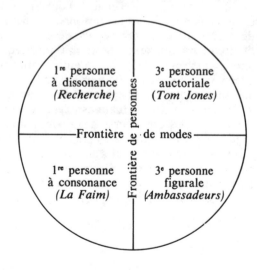

Les termes de « dissonance » et « consonance » sont introduits ici par Dorrit Cohn, qui les employait déjà dans *la Transparence intérieure,* mais ils sont bien les équivalents de termes stanzeliens « auctorial » (dominance du narrateur) et « figural » (dominance du personnage comme « réflecteur » ou foyer de la narration). Les exemples proposés ici entre parenthèses sont ceux de Stanzel pour la moitié droite et ceux de Cohn (dans *la Transparence*) pour la moitié gauche. Je substituerais volontiers, pour des raisons évidentes, et comme fait Alain Bony dans sa traduction de ce dernier livre, le terme de *narratorial,* emprunté à Roy Pascal, à celui d' « auctorial ». Ayant ainsi commencé d'amender à mon tour l'amendement de Cohn à Stanzel, je propose de le présenter sous la forme, pour moi désormais inévitable, de ce tableau à double entrée :

Personne / Mode	1re	3^e
Narratorial	A *Recherche*	B *Tom Jones*
Figural	C *La Faim*	D *Les Ambassadeurs*

Ce compromis boiteux, via Dorrit Cohn, entre la typologie de Stanzel et ce qui pourrait être l'amorce de la mienne me servira pour l'instant à observer une certaine progression quantitative à partir des trois situations typiques de Stanzel-1955 : refusant non sans raison les six types par trop hétérogènes de Stanzel-1979, Cohn revient en arrière, mais pas entièrement, puisque aux trois initiales (B, D, A + C) elle en ajoute une en séparant C de A. On peut apprécier cette addition comme un progrès, si l'on considère qu'elle diversifie opportunément et efficacement une typologie initiale un peu fruste, et par trop réduite aux situations les plus fréquentes. On peut aussi juger le progrès insuffisant, et souhaiter un nouvel élargissement (avec ou sans correction) du tableau. C'est peut-être le moment de rappeler les autres typologies citées dans *Figures III* (p. 203-205) qui faisaient parfois légitimement place à des types ici non représentés : ainsi, Brooks et Warren, tenant compte d'un mode de focalisation plus extérieur que ceux qu'envisage Stanzel, faisaient une place au type *je-témoin,* et une autre à la narration « objective » style Hemingway, que de son côté Romberg ajoutait, comme un quatrième type, à la triade stanzélienne [1].

On voit donc que ladite triade a fait successivement l'objet de deux amendements : celui de Romberg, qui ajoute un type (dans mes termes, narration hétérodiégétique à focalisation externe), et celui de Dorrit Cohn, qui en ajoute un autre (dans mes termes, narration homodiégétique à focalisation interne). Il serait bien tentant (et, comme chacun sait, il faut résister à tout, sauf à la tentation) d'additionner ces deux additions, ce qui donnerait une liste à *cinq* types.

C'est précisément, quoique implicitement, à quoi aboutit, par une autre voie il est vrai (il ne pouvait d'ailleurs connaître la dernière proposition de Dorrit Cohn), le dernier en date des typologistes de la situation narrative, Jaap Lintvelt [2]. Il établit d'abord une dichotomie, celle de la personne, qu'il nomme *narration* hétéro-/homodiégétique ; puis une tripartition des *types narratifs,* selon le « centre d'orientation » de l'attention du lecteur, qui est une sorte de synthèse entre mes focalisations et les modes selon Stanzel : type *auctoriel* (≡ focalisation zéro), type *actoriel* (≡ focalisation interne), type *neutre* (≡ focalisation externe : c'est le sous-type neutre de Stanzel-1955, que revoici). Ces deux distinctions font chez Lintvelt [3] l'objet de tableaux séparés qui semblent s'ignorer l'un l'autre et qui n'en effectuent pas la synthèse. Je vais donc de nouveau intervenir pour un nouvel amendement, qui prendra encore la forme d'un tableau à double entrée, où se croisent les deux « narrations » et les trois « types narratifs », et où j'introduis dès maintenant, pour gagner du temps (de la place), les exemples hérités de la tradition (Stanzel, Romberg, Cohn), et, entre parenthèses, les équivalences approximatives entre les termes de Lintvelt et les miens :

---

1. C'est évidemment le type « neutre » annexe de Stanzel-1955. Les huit types de Friedman, réduits à sept dans une version ultérieure (1975, chap. VIII), se ramènent sans difficulté à cette quadripartition si l'on néglige les distinctions secondaires entre ce que l'on peut, me semble-t-il, considérer légitimement comme des sous-types.
2. 1981, deuxième partie, « Pour une typologie du discours narratif ».
3. P. 39.

Type (Focal.) Narration (Relation)	Auctoriel (Focal. zéro)	Actoriel (Focal. interne)	Neutre (Focal. externe)
Hétéro-diégétique	A *Tom Jones*	B *Les Ambassadeurs*	C *The Killers*
Homo-diégétique	D *Moby Dick*	E *La Faim*	

On voit clairement sur ce tableau factice la triade originelle (cases A, B, D + E), l'addition Cohn (case E) et l'addition Lintvelt (case C), confirmant l'addition Romberg. On voit aussi, j'espère, où je veux en venir : il y a dans ce tableau une case vide, où pourrait venir se loger une sixième situation, celle d'une narration homodiégétique-neutre. Ce sixième type, Lintvelt l'évoque pour le rejeter, estimant « qu'une telle construction théorique transgresserait les possibilités réelles des types narratifs [1] ». Une telle abstention peut sembler la sagesse même, mais je me demande s'il n'y a pas davantage de sagesse encore (toute différente, il est vrai) dans ce principe de Borges, qu' « il suffit qu'un livre soit concevable pour qu'il existe [2] ». Si l'on admet cette vue optimiste, ne serait-ce que pour sa force d'encouragement, le livre en question (récit du sixième type) doit bien exister quelque part sur les rayons de la bibliothèque de Babel.

Je l'y ai donc cherché (cette bibliothèque est nettement plus accessible, en hiver, que la Pound Library déjà saluée, et plus accueillante que notre malheureuse B. N. pour y, comment dirais-je? draguer dans les rayons), je l'y ai donc trouvé, et en plusieurs exemplaires. Ce sont, par exemple, les romans à la première personne de Hammett, sans compter nombre de nouvelles, et une vaste postérité dans le genre du *thriller*. C'est aussi, contemporain de *Moisson rouge* (1929), le monologue de Benjy dans *le Bruit et la Fureur* [3]. C'est encore, me semble-t-il, *l'Étranger* de Camus.

Cela est sans doute un peu vite dit, et appelle quelques nuances ou précisions. D'abord, bien sûr, cette caractérisation de *l'Étranger,* que

1. P. 84.
2. *Fictions,* p. 104.
3. Voir J. Pier, 1983, chap. III.

j'emprunte somme toute à Claude-Edmonde Magny [1], est rejetée par Lintvelt, qui, s'appuyant sur les analyses de B. T. Fitch [2], affecte ce roman pour partie à son type auctoriel et pour partie à son type actoriel. Et il est en effet très évident que chez Camus comme chez Hammett [3] ou Chandler, le parti behaviouriste subit quelques entorses, par exemple à la fin de la première partie, où Meursault s'accorde quelques mots – tarte à la crème de la critique camusienne psychologisante – d'explication ou d'interprétation symbolique. La seconde précision pourrait être formulée dans les termes de Lintvelt lui-même, qui définit ses types narratifs en fonction de ce qu'il appelle le plan « perceptif-psychique ». Ce couple gagnerait ici à être dissocié en un plan perceptif et un plan psychique (cette distinction naïve fera sourire les philosophes, mais il faut bien que tout le monde s'amuse). Le mode narratif de *l'Étranger* est « objectif » sur le plan « psychique », en ce sens que le héros-narrateur ne fait pas état de ses (éventuelles) pensées ; il ne l'est pas sur le plan perceptif, car on ne peut dire que Meursault y soit vu « de l'extérieur », et qui plus est le monde extérieur et les autres personnages n'y figurent qu'en tant (et à mesure) qu'ils entrent dans son champ de perception. Il en va de même, et de manière sans doute

1. Pour Hammett, *L'Age du roman américain*, p. 50-54 ; pour *L'Étranger* et comparaison avec Hammett et Cain, p. 74-76. Il faudrait tout citer ici de ces pages ; pour m'en tenir à l'essentiel : « Le filtrage artificieux auquel se livre Camus consiste à présenter un héros qui dit *je*, en nous rapportant seulement ce qu'une tierce personne pourrait dire de lui... Le paradoxe technique de la narration de Camus est d'être faussement introspective... de même que le narrateur de *Moisson rouge*, qui nous donne de ses actions un procès-verbal aussi impartial que possible... L'effet obtenu dans *Moisson rouge* ne diffère pas sensiblement de celui du *Faucon maltais*, où le récit se déroule à la troisième personne. » Il est vrai qu'elle-même s'appuie ici sans le dire sur l'article de Sartre, « Explication de *L'Étranger* », paru en 1943, qui rapportait et justifiait en partie cette boutade anonyme : « Du Kafka écrit par Hemingway. » Le « paradoxe technique » décrit ici est évidemment celui d'une focalisation externe en première personne.
2. Voir Lintvelt, p. 84-88. Mais ni Fitch ni Lintvelt ne mentionnent Magny, dont ils semblent ignorer la position.
3. Ainsi, dans *Moisson rouge* (trad. fr., p. 53) : « J'aurais préféré être à jeun, mais je ne l'étais pas, et si la nuit me réservait encore du boulot, je ne me souciais pas de l'aborder dans l'état de quelqu'un qui cuve son vin. La gnôle me fit du bien. » Le chapitre XXI est même consacré au récit d'un rêve. Reste que le ton d'ensemble est celui d'un héros-narrateur *hard boiled* que la pudeur ou le mépris de toute psychologie détourne généralement de toute confidence ou introspection – sans compter qu'un récit policier, même de ce type, doit par nécessité cacher une partie des pensées du détective. Les raisons du mutisme de Meursault sont évidemment tout autres – s'il y en a.

encore plus systématique, dans *le Bruit et la Fureur :* « Ils m'ont tenu. C'était chaud sur mon menton et sur ma chemise. " Bois ", dit Quentin. Ils m'ont tenu la tête. C'était chaud dans mon estomac et j'ai recommencé. Je criais maintenant, et quelque chose se produisait en moi, et je n'en criais que davantage. Et ils m'ont tenu jusqu'à ce que ça ait cessé. Alors, je me suis tu. Ça tournait toujours, et puis les formes ont commencé [1]... » En ce sens, bien sûr, le mode de *Moisson rouge,* du *Bruit et la Fureur* ou de *l'Étranger* est plutôt une focalisation interne, et la formule globale la plus juste serait peut-être quelque chose comme « focalisation interne avec paralipse presque totale [2] des pensées ». Plus juste, mais fort encombrante, comme une description de *fa majeur* qui dirait : « *do majeur* avec bémolisation systématique du *si* ». Encombrante et surtout tendancieuse, car elle suppose arbitrairement que Meursault pense quelque chose. La supposition inverse, qui simplifierait tout (c'est un peu celle de Sartre, selon qui nous voyons tout ce que voit cette vitre qu'est la conscience de Meursault, « seulement on l'a construite de telle sorte qu'elle soit transparente aux choses et opaque aux significations [3] »), me semble aussi arbitraire. Déclinons donc toute interprétation, et laissons ce récit à son indécision, dont la formule serait plutôt : « Meursault raconte ce qu'il fait et décrit ce qu'il perçoit, mais il ne dit pas (non : *ce qu'il en pense,* mais :) *s'il en pense quelque chose.* » Cette « situation », ou plutôt ici cette *attitude* narrative, c'est pour l'instant ce qui ressemble le mieux, ou le moins mal, à une narration homodiégétique « neutre », ou à focalisation externe.

Je dis bien « pour l'instant », c'est-à-dire dans le champ de la littérature existant à cette date (et à ma connaissance). Mais ce n'est là qu'une donnée de fait, qui ne répond pas à la question plus noble (plus « théorique ») : une narration homodiégétique à focalisation externe rigoureuse est-elle *possible*?

---

1. Pléiade, p. 367-368. Benjy *perçoit* ici une chaleur sur lui, puis en lui, mais il ne sait pas « penser » (interpréter) qu'on le force à boire. Ce parti narratif, on le sait, est motivé par le fait que le récit est ici assumé par un « idiot ». Mais le héros de Hammett n'est certes pas un idiot, et dans son cas la motivation implicite, que j'ai rappelée, est tout autre. Entre les deux, où faut-il placer Meursault?

2. Contrairement à *Roger Ackroyd,* où elle est (quoique capitale) très partielle.

3. *Situations I,* p. 115. Mais la formule de Sartre reste ambiguë, car elle ne dit pas de quel côté de la vitre est Meursault – ou, pour abandonner la métaphore, si l'opacité de sa « conscience » aux significations est de réception ou de transmission.

Un tel récit devrait évidemment, quoique assumé par le héros [1], adopter sur lui, et sur toutes choses, le point de vue d'un (anonyme) observateur extérieur incapable non seulement de connaître ses pensées, mais encore d'épouser son champ de perception. Une telle attitude narrative est généralement, pour ne pas dire unanimement, considérée comme incompatible avec les normes logico-sémantiques du discours narratif. C'est évidemment la raison pour laquelle Roland Barthes déclarait intraduisible en première personne une phrase telle que : « Le tintement de la glace contre le verre sembla donner à Bond une brusque inspiration [2]. » On dira donc impossible, ou, plus précisément et en termes chomskyens, « inacceptable [3] », une phrase telle que : « Le tintement de la glace sembla *me* donner une inspiration. » Mais il me semble, à moi, qu'il ne faut pas abuser de ces décrets d'inacceptabilité. Lors d'un colloque tenu à Johns Hopkins en octobre 1966, Roland Barthes, traitant du même exemple, avait déclaré plus catégoriquement ou plus imprudemment : « On ne *peut* pas dire : *le tintement de la glace sembla me donner une brusque inspiration* », et un peu plus loin : « Je ne *peux* pas dire : *Je suis mort.* » Jacques Derrida lui objecta très vite le « Je suis mort » de M. Valdemar chez Edgar Poe, et la complexité du problème des impossibilités logiques dans le langage [4]. Du point de vue qui nous occupe, l'objection n'était peut-être pas assez radicale, car la question n'est pas tant de savoir *en quel sens* de telles propositions sont « absurdes » [5] (problème logique), mais 1. s'il est ou non *possible* d'énoncer des propositions absurdes (en quelque sens que ce soit) : question, j'ose le dire,

1. Ou le « témoin », en cas de récit « périphérique ». On aurait alors Zeitblom se racontant comme vu de l'extérieur en train de voir Leverkühn de l'extérieur. Pas facile, mais il ne faut décourager personne.
2. 1966, p. 41.
3. Susan Ringler, p. 176. Je parlais plus prudemment, p. 210, d' « incongruité sémantique ».
4. R. Macksey et E. Donato, 1970, p. 140, 143, 155-156. Barthes tint compte de cette objection dans l'analyse du *Cas Valdemar* qu'il produisit quelques années plus tard (1973).
5. Les deux exemples proposés par Barthes ne le sont évidemment pas au même sens : « Je suis mort », pris dans son sens littéral, est simplement *faux,* comme toute proposition dont l'énonciation contredit l'énoncé ; elle s'attire l'objection : « si ce que vous dites était vrai, vous ne pourriez pas le dire » ; « je semblai... » relève plutôt de l'objection : « qu'en savez-vous ? » Mais d'un point de vue narratologique, la différence peut être négligée : *être mort* et *sembler* sont deux états qui par définition ne peuvent être perçus que de l'extérieur. Qu'est-ce d'ailleurs qu'être mort, sinon *sembler mort* à qui de droit ?

littéraire, et dont la réponse est évidemment positive, à preuve, entre autres et par deux fois, la phrase de Barthes elle-même – l'objection radicale eût été, plus brutalement peut-être : « vous venez de le dire »; et 2. si de tels énoncés sont, pour le lecteur ou l'auditeur, d'une manière ou d'une autre (qu'il ne faut peut-être pas trop se hâter de dire « figurée »), acceptables malgré, ou plutôt *compte tenu de,* et donc, en un sens, *en vertu de* leur actuelle anomalie. Ce que le « sentiment linguistique », toujours en retard d'une phrase, refuse aujourd'hui, il pourrait bien l'accepter demain sous la pression de l'innovation stylistique. Et après tout, et pour en revenir à notre (encore) fantomatique narration homodiégétique à focalisation externe, la langue commune accepte et pratique tous les jours (ce ne sont pas les occasions qui manquent) des énoncés tels que : « J'avais l'air d'un con. » Ce serait donc, me semble-t-il, insulter inutilement l'avenir que d'exclure cette forme des « possibilités réelles des types narratifs [1] ». Cézanne, Debussy, Joyce sont pleins de traits qu'Ingres, Berlioz et Flaubert auraient sans doute déclarés « inacceptables » – et ainsi de suite. Nul ne sait où s'arrêtent les « possibilités », réelles ou théoriques, de quoi que ce soit. Il me paraît donc sage de « prévoir », c'est-à-dire de dessiner une case pour le type qui nous intéresse, même si *l'Étranger* ne la remplit pour l'instant que par provision, et avec un point d'interrogation. L'obligeant lecteur est ici prié d'aller l'inscrire lui-même.

Nous voici donc passés des trois « situations typiques » de Stanzel-55 à six situations, certes inégalement répandues, mais qui toutes correspondent à quelque virtualité combinatoire d'un tableau des « possibles narratifs » qui n'intègre pour l'instant que deux catégories, celle de la « personne » et celle de la perspective. On pourrait envisager un tableau beaucoup plus complexe, tenant compte du niveau narratif, de la position temporelle (narration ultérieure, antérieure ou simultanée), de la « distance » si l'on y tient, et encore des paramètres d'ordre, de vitesse et de fréquence. Poussé à ce point, le tableau ne pourrait évidemment plus s'appliquer à des œuvres entières (aucun, d'ailleurs, ne le peut en toute rigueur), mais seulement à tel ou tel segment, parfois fort bref, puisque seule la *relation* (« personne ») régit de

---

1. Gerald Prince, 1982*a*, p. 183, donne comme exemple de type narratif non encore réalisé, et peut-être destiné à ne l'être jamais, « un roman à la troisième personne, en forme de journal, écrit au futur et présentant les événements dans un ordre non chronologique ». Voilà ce que j'appelle un défi, et si j'avais le temps...

Niveau → / Focalisation → / Relation ↓	Extradiégétique			Intradiégétique		
	0	Interne	Externe	0	Interne	Externe
Hétérodiégétique	*Tom Jones*	*Le portrait de l'artiste*	*The Killers*	*Le Curieux impertinent*	*L'Ambitieux par amour*	
Homodiégétique	*Gil Blas*	*La Faim*	*L'Étranger?*		*Manon Lescaut*	

manière à peu près constante la totalité d'un récit. Il deviendrait en outre fort difficile à figurer sur une page de livre. Je me contente donc ici, pour l'exemple et en trichant un peu avec les ressources de l'espace à deux dimensions, de croiser sur un seul tableau les trois paramètres de la focalisation, de la relation et du niveau. Je conserve les exemples devenus traditionnels, mais je rétablis les éléments de ma terminologie. La moitié gauche est identique au tableau précédent, où *l'Étranger* figure maintenant à sa place, avec le point d'interrogation qui lui sied. La moitié droite reprend les six mêmes types en situation de narration intradiégétique, et donc de récit métadiégétique. J'y place trois exemples à peu près typiques, et j'y laisse trois cases vides, moitié par paresse, moitié en hommage à la sagacité du lecteur : il ne devrait pas être trop difficile de trouver un cas de récit homo-métadiégétique non (ou mal) focalisé; la colonne de droite est plus embarrassante, car il faudrait y marier deux attitudes narratives historiquement peu compatibles, au moins jusqu'ici : le métadiégétique, qui est un trait « classique » (je veux dire baroque : de *l'Odyssée* à *Lord Jim*), et la focalisation externe, qui est un trait « moderne », d'Hemingway à Robbe-Grillet. Mais on devrait pouvoir compter sur les capacités syncrétiques – les mauvaises langues diront l'éclectisme – de la fiction « post-moderne », à qui cette colonne revient de droit, à sa charge de la remplir au plus vite, si elle en a encore la force.

On ne prendra pas, j'espère, cette proposition trop à la lettre. L'essentiel est pour moi, non dans telle ou telle combinaison effective, mais dans le principe combinatoire lui-même, dont le principal mérite essentiel est de poser les diverses catégories dans une relation libre et sans contrainte *a priori* : ni *détermination* (au sens hjelmslévien) unilatérale (« tel choix de voix entraîne tel parti de mode, etc. »), ni *interdépendance* (« tel choix de voix et tel choix de mode se commandent réciproquement »), mais de simples *constellations* où tout paramètre peut *a priori* jouer avec tout autre – à charge au poéticien de relever ici ou là les affinités (s)électives, les plus ou moins grandes compatibilités techniques ou historiques, sans trop se hâter de proclamer des incompatibilités définitives : Nature et Culture engendrent chaque jour des milliers de « monstres », qui se portent comme des charmes.

XVIII

J'étais passé un peu vite (p. 261-265) sur les *fonctions du narrateur*. Il est vrai qu'y distinguant une fonction *narrative* dont l'étude, en bonne logique, se confondrait avec tout ce qui précède, et quatre fonctions *extra-narratives* dont l'étude, toujours en bonne logique, n'a pas sa place dans un travail sur le discours narratif, j'étais, et je reste, dispensé d'en dire plus (la bonne logique est vraiment très bonne).

Deux mots quand même, pour préciser ce qui d'ailleurs va de soi. Les fonctions extra-narratives sont plus actives dans le type « narratorial », c'est-à-dire, dans nos termes, non focalisé : une focalisation rigoureuse, qu'elle soit interne, comme dans *le Portrait de l'artiste*, ou externe, comme chez Hemingway, exclut en principe toute espèce d'intervention du narrateur, qui se borne à raconter en feignant même, selon la vieille formule, de laisser l'histoire « se raconter elle-même »; l'usage du discours commentatif est un peu le privilège du narrateur « omniscient ». Quant à la fonction dite « testimoniale », elle n'a guère sa place, pour des raisons évidentes, qu'en narration homodiégétique – dont la variante dite « je-témoin » n'est même, comme son nom l'indique, qu'une vaste attestation : « J'étais là, les choses se sont passées ainsi. » Mais peut-être faudrait-il aussi la voir à l'œuvre dans ces types de fiction dont le narrateur se pose en historien, c'est-à-dire en témoin rétrospectif, comme *les Possédés*, ou le récit primaire d'*Un roi sans divertissement* : ici le narrateur, comme tout bon historien, doit au moins attester la véracité de ses sources, ou témoignages intermédiaires : « Je n'y étais pas, mais cela s'est passé voici un siècle dans mon village, et voici ce qu'en dit la tradition orale... » [1]

Trop rapide à coup sûr, la section sur le *narrataire* a été très vite et fort heureusement complétée par l'article de Gerald Prince, « Introduction à l'étude du narrataire », que j'annexerais volontiers sans vergogne, à trois réserves près. La première est qu'il ne s'agit en effet encore que d'une introduction, elle-même rapide et parfois désordonnée. La seconde, que faute d'une distinction nette entre les narrataires

---

1. S. Suleiman, 1983, p. 197, propose très justement de substituer à « fonction idéologique » le plus neutre *fonction interprétative*.

intradiégétiques (M. de Renoncour dans *Manon Lescaut* [1]) et extradiégétiques (le narrataire du *Père Goriot*), la dissociation nécessaire entre
narrataire et lecteur se trouve passablement brusquée. Car le narrataire extradiégétique n'est pas, comme l'intradiégétique, un « relais »
entre le narrateur et le lecteur virtuel : il se confond absolument avec ce
lecteur virtuel – relais, lui, avec le lecteur réel, qui peut ou non
s' « identifier » à lui, c'est-à-dire *prendre pour soi* ce que le narrateur
dit à son narrataire extradiégétique, tandis qu'il ne peut en aucun cas
s'identifier (en ce sens) au narrataire intradiégétique, qui est après tout
un *personnage* comme les autres. Lorsque Des Grieux dit à
Renoncour : « Vous en fûtes témoin à Pacy. Votre rencontre fut un
moment heureux de relâche, qui me fut accordé par la fortune, etc. »,
moi lecteur « réel », je ne me sens pas concerné par cette adresse : Des
Grieux parle à Renoncour (et pour cause) comme un personnage à un
autre personnage, qui reçoit cette parole et l'intercepte totalement et
légitimement, puisqu'elle ne peut s'adresser qu'à lui [2]. Mais quand le
narrateur du *Père Goriot* écrit : « Vous qui tenez ce livre d'une main
blanche, vous qui vous enfoncez dans un moelleux fauteuil en vous
disant : peut-être ceci va-t-il m'intéresser », je suis en droit d'objecter
(mentalement) que mes mains ne sont pas si blanches, ou que mon
fauteuil n'est pas si moelleux, ce qui signifie que je prends légitimement pour moi cette adresse. Et quand Tristram me demande de l'aider
à porter M. Shandy dans son lit, cette métalepse consiste précisément à
traiter un narrataire extradiégétique comme s'il était intradiégétique.
Il est absolument légitime de distinguer en principe le narrataire du
lecteur, mais il faut aussi tenir compte des cas de syncrèse [3]. De même,

1. Le double statut de Renoncour (et de bien d'autres de même type) semble
parfois mal compris; c'est pourtant simple : il est *intradiégétique comme
narrateur* de Des Grieux, et *extradiégétique comme narrateur* (auteur fictif)
du récit primaire de *Manon Lescaut*. Et il ne peut être les deux que parce qu'il
est narrateur *homodiégétique,* c'est-à-dire présent comme personnage (entre
autres, comme narrataire) dans le récit qu'il assume. Tout narrateur
extra-homodiégétique est intradiégétique comme personnage et extradiégétique comme narrateur. Vu?
2. Ce n'est évidemment pas le cas de toutes les adresses à Renoncour.
Lorsque Des Grieux lui annonce : « Vous connaîtrez Tiberge par la suite de
mon histoire », nous pouvons partager avec lui cette attente. Selon le principe
qui peut le plus peut le moins, le narrataire intradiégétique peut cumuler ce
rôle fort d'auditeur actif (il rencontre Des Grieux) avec le rôle plus faible
d'auditeur passif parce qu'extérieur à l'histoire (il ne connaît pas Tiberge), qui
est aussi le nôtre.
3. Il est d'ailleurs significatif que dans un autre article, consacré cette fois
au lecteur (1980), Prince renonce implicitement à le distinguer du narrataire

bien sûr, le narrateur extradiégétique se confond totalement avec l'auteur – je ne dirai pas, comme on le fait trop, « implicite », mais bel et bien explicite et proclamé. Je ne dis pas non plus « réel »; mais tantôt (rarement) réel, comme, disons, le Giono de *Noé*, reconnaissable à sa robe de chambre « taillée dans une couverture de cheval toute rouge », et autres détails autobiographiques; tantôt fictif (Robinson Crusoé); tantôt quelque bizarre hybride des deux, comme l'auteur-narrateur de *Tom Jones*, qui n' « est » pas Fielding, mais qui n'en pleure pas moins, une ou deux fois, sa défunte Charlotte. Mais je ne veux pas anticiper sur le prochain chapitre, qui tentera d'aborder, ou d'éluder de front cette épineuse question.

Ma dernière réserve porte sur une autre syncrèse non traitée par Prince, qui assure l'une des éventuelles fonctions du narrataire : c'est l'identité *entre narrataire et héros*, et c'est la situation dite de « narration à la deuxième personne », caractéristique de certains récits judiciaires ou académiques, et naturellement (?) d'œuvres littéraires comme *la Modification* (en *vous*) ou *Un homme qui dort* (en *tu*), et que cette formule me paraît définir exhaustivement. Ce cas rare, mais fort simple, est une variante de la narration hétérodiégétique – preuve au moins que cette notion est plus extensive que celle de « récit à la troisième personne ». Est hétérodiégétique, par définition, toute narration qui n'est pas (qui n'a pas, ou feint ne n'avoir pas lieu d'être) à la première personne [1]. Mais en dehors du *je*, il n'y a pas que du *il*, du *elle* ou du *eux*; il y a aussi du *toi*, et du *vous*. Occasion de noter qu'on a tort de n'envisager ici que les personnes du singulier. Il y a aussi des récits à la deuxième ou à la troisième du pluriel, qui sont encore hétérodiégétiques. Et il y a des récits à la première du pluriel, dont le cas pourrait sembler plus complexe, puisque *nous = je + il*, ou *je + tu* (etc.), c'est-à-dire *ego + aliquis*. Il n'en est rien, car pour qu'un récit

---

(extradiégétique, bien sûr). La refonte de l'article de 1973 dans le livre 1982*b*, p. 16-26, marque un peu plus nettement la distinction entre les « narrataires-personnages » (intradiégétiques) et les autres, mais n'en tire pas toutes les conséquences.

1. Ceci inclut à l'évidence le cas de l' « autobiographie à la deuxième personne » évoqué par Lejeune, 1980, p. 36, et qu'illustre à merveille, quoique en vers, le *Zone* d'Apollinaire. Exploitant, comme le remarque Lejeune, une situation de langage fort courante (le dialogue intérieur), ce type de récit autobio-hétérodiégétique semble moins intensément figural ou fictif que sa version à la troisième personne. Mais il est en fait plus complexe, puisqu'il inclut dans son jeu le narrataire : le personnage *est* le narrateur, il *n'est pas* le narrateur, et de nouveau on ne sait trop de quel côté l'auteur *prétend être*, et bien entendu on sait ou l'on devine qu'il est partout.

soit homodiégétique, il suffit qu'*ego* y figure comme personnage. Qu'il y figure seul, ce serait la forme absolue de l'autodiégétique. Crusoé avant Vendredi? Thoreau à Walden? Pas vraiment. La bête du *Terrier*? Pas assez. Malone? Pas encore...

XIX

Resterait peut-être à combler ou justifier deux ou trois lacunes qui m'ont été reprochées ici et là, et en particulier par Shlomith Rimmon. Je dis bien deux ou trois, car l'une des trois consistait en l'absence de corrélation entre ce que Rimmon appelle les « différents aspects du récit » (temps, mode, voix), et je viens, bien ou mal, de réparer cette omission. Une autre lacune concernerait la notion de *personnage* considérée en elle-même, et Rimmon l'attribue à mon souci exclusif de l'action comme objet essentiel du récit – les personnages n'étant plus dès lors, selon le parti aristotélicien, que des *supports* de l'action. Il y a certainement beaucoup de cela : après tout, un personnage non pris dans une action ne peut guère figurer dans un récit (mais dans un portrait, caractère, etc.); mais j'ajouterai que, plus radicalement et (une fois de plus) comme son titre l'indique et comme son introduction le confirme, *Discours du récit* porte sur le *discours* narratif et non sur ses *objets*. Or le personnage appartient à cette dernière catégorie, même s'il n'est évidemment, en fiction, qu'un *pseudo-objet*, entièrement constitué, comme tous les objets de fiction, par le discours qui prétend le décrire et rapporter ses actions, ses pensées et ses paroles. Raison de plus, sans doute, pour s'intéresser davantage au discours constituant qu'à l'objet constitué, ce « vivant sans entrailles » qui n'est ici (contrairement à ce qui se passe chez l'historien ou le biographe) qu'un effet de texte [1]. J'observe d'ailleurs que Shlomith Rimmon elle-même [2], après avoir consacré au personnage comme objet un chapitre plutôt interrogatif (« Story : characters »), doit bien y revenir plus loin, et de manière cette fois plus assurée, au titre du discours (« Text : characterization »). La *caractérisation,* c'est bien évidemment la technique de constitution du personnage par le texte narratif. Son étude me semble la plus grande concession que la narratologie, au

1. Voir Hamon, 1977 et 1983.
2. 1983.

sens strict, puisse faire à la considération du personnage. Mais je ne regrette pas de l'avoir refusée, ou plutôt de n'y avoir, dans ma perspective, pas même songé, car elle me semble *trop* concéder à ce qui n'est qu'un « effet » parmi d'autres en lui accordant le privilège de découper, et par là de commander l'analyse du discours narratif. Je trouve décidément, quoique relativement, préférable (plus « narratologique ») de dissoudre l'étude de la « caractérisation » en celle de ses moyens constitutifs (qui ne lui sont pas tous spécifique) : nomination, description, focalisation, récit de paroles et/ou de pensées, rapport à l'instance narrative, etc.

La troisième « lacune » appelle de plus longs commentaires. Le mieux est sans doute de citer d'abord intégralement Shlomith Rimmon : « L'omission (de nouveau sans explication) de l' "auteur impliqué" (*implied author*) me semble fâcheuse et en elle-même et dans la symétrie partiellement fausse qui en résulte entre le narrateur et le narrataire. La fausseté partielle de cette symétrie porte sur le couple *narrateur/narrataire extradiégétiques*. Le narrateur extradiégétique est une voix dans le texte, le narrataire extradiégétique, ou lecteur impliqué, n'est pas un élément du texte mais une construction mentale fondée sur l'ensemble du texte. En fait, le lecteur impliqué répond à l'auteur impliqué, autre construction mentale fondée sur l'ensemble du texte, rigoureusement distincte de l'auteur réel que Genette exclut à juste titre de son étude. Sans l'auteur impliqué, il est difficile d'analyser les "normes" du texte, surtout quand elles diffèrent de celles du narrateur [1]. »

Ceci, on le voit, n'est pas une remarque « en l'air » : les notions sont des plus précises, et les points tombent sur les *i*. Une réponse commode consisterait sans doute à exclure du champ narratologique non seulement l'auteur réel, mais aussi l'auteur « impliqué », ou plus exactement la question (car pour moi c'en est une) de son existence. Commode et justifiée : à mon sens, la narratologie n'a pas à aller au-delà de l'instance narrative, et les instances de l'*implied author* et de l'*implied reader* se situent clairement dans cet au-delà. Mais si cette question n'est pas pour moi du ressort de la narratologie (elle n'est d'ailleurs nullement spécifique du récit, et Rimmon, fort justement, parle ici de *texte* en général), elle est évidemment du ressort plus vaste de la poétique, et peut-être convient-il de l'envisager pour finir, sur

---

1. 1976*a*, p. 58. J'emploie à vrai dire le terme « auteur implicite » une fois (p. 232), mais sans songer à ses implications, et en l'identifiant aussitôt à un auteur réel (Saint-Amant).

cette frontière où nous voici parvenus. Mais on ne peut le faire sans tenter de débrouiller des fils passablement emmêlés, et je plaide d'avance l'indulgence pour cet exercice ingrat.

Je note d'abord un point d'accord, dans la mise hors de cause du narrateur et du narrataire intradiégétiques : Des Grieux et Renoncour ne risquent pas d'interférer avec les instances auctoriale et lectoriale, dont ils sont séparés par deux autres instances, le narrateur extradiégétique et son narrataire extradiégétique (Renoncour narrateur et son destinataire); ils sont isolés dans leur bulle diégétique, laissons-les-y. La fausse symétrie consiste selon Rimmon à symétriser les statuts du narrateur et du narrataire extradiégétiques, alors que, si ce dernier se confond bien avec le lecteur «impliqué» (que je préfère appeler lecteur *virtuel*, mais j'espère que ces deux-là, au moins, n'en font qu'un), le premier ne peut se confondre avec l'auteur impliqué. Cela peut se figurer par un schéma comme celui-ci :

Narrateur extradiégétique   Narrataire extradiégétique
≠ Auteur impliqué   ⟶   = Lecteur impliqué

Second point d'accord, donc, le narrataire extradiégétique se confond avec le lecteur impliqué ou virtuel. Voilà une instance d'excisée, pour la plus grande joie de notre maître Occam, et ces petites économies ne sont pas à mépriser par les temps qui courent. Le débat porte donc sur la distinction – que fait Shlomith Rimmon et que je n'ai point faite – entre narrateur extradiégétique et auteur impliqué, et elle seule. (Il y a peut-être un désaccord mineur sur la manière dont Rimmon voit le narrataire extradiégétique dans le texte : «construction mentale fondée sur l'ensemble du texte»; elle me semble au moins autant fondée sur un réseau d'indices ponctuels et localisés, dont Prince a donné quelques excellentes illustrations. Il ne s'agit pas, comme pour le narrateur, d'une *voix*; mais d'une oreille parfois dessinée avec précision, et complaisance.)

Cette notion, je le rappelle, a été proposée en 1961 par Wayne Booth sous la forme anglaise *implied author*, que nous avons déjà eu tort de traduire en français par «auteur implicite», locution où l'adjectif contribue à durcir et hypostasier ce qui n'était en anglais qu'un participe [1]. Chez Booth, cette notion, construite en opposition avec celle d'auteur réel, s'identifie largement avec celle de narrateur, et il

---

1. Il arrive que la locution française revienne en anglais sous la forme *implicit author*, qu'à vrai dire Booth lui-même emploie une ou deux fois.

95

arrive d'ailleurs que Booth lui substitue celle de « *narrateur* impliqué [1] ». A une époque où la dissociation entre l'auteur (réel) et le narrateur n'était pas très courante, l'*implied author* servait à marquer leur différence, et à distinguer, disons d'Henry Fielding lui-même, les divers énonciateurs de *Tom Jones*, de *Joseph Andrews* ou d'*Amelia*. Pour l'essentiel et pour chaque récit, cela donnait en tout *deux* instances : l'auteur réel et l'auteur impliqué, c'est-à-dire l'image de cet auteur telle qu'elle pouvait être construite (par le lecteur, bien sûr) à partir du texte. Depuis, l'accent a été mis sur l'activité du narrateur, et si l'on conserve l'instance de l'auteur impliqué, cela fait *trois* instances – d'où ce tableau « complet » dont on trouve diverses variantes chez Chatman, Bronzwaer, Schmid, Lintvelt et Hoek :

[Aut. réel [Aut. impl. [Narr^r. [Récit] Narr^e.] Lect. impl.] Lect. réel.]

ce qui commence à faire beaucoup de monde pour un seul récit. A moi Occam !

La question est donc – pour ne considérer ici que la partie gauche du tableau – celle-ci : l'*auteur impliqué* est-il une instance nécessaire et (donc) valide entre le narrateur et l'auteur réel ?

Comme instance effective, évidemment non : un récit de fiction est fictivement produit par son narrateur, et effectivement par son auteur (réel); entre eux, personne ne travaille, et toute espèce de performance textuelle ne peut être attribuée qu'à l'un ou à l'autre, selon le plan adopté. Par exemple, le style de *Joseph et ses frères* ne peut être attribué que (fictivement) au narrateur céleste qui est censé parler naturellement ce langage pseudo-biblique, ou à M. Thomas Mann, écrivain de langue allemande, prix Nobel de littérature, etc., qui le fait ainsi parler. Le style de *l'Étranger* est en fiction la manière dont s'exprime Meursault, et en réalité la manière dont le fait s'exprimer un auteur que rien n'autorise à distinguer de M. Albert Camus, écrivain de langue française, etc. Aucune place ici pour l'activité d'un troisième homme, aucune raison pour décharger de ses responsabilités effectives (idéologiques, stylistiques, techniques et autres) l'auteur réel – sauf à tomber lourdement du formalisme dans l'angélisme.

Comme instance idéale, maintenant : l'auteur impliqué est défini, par son inventeur Wayne Booth comme par l'un de ses détracteurs

1. 1952, p. 164.

96

Mieke Bal [1], comme une *image* de l'auteur (réel) construite par le texte et perçue comme telle par le lecteur. La fonction de cette image semble être essentiellement d'ordre idéologique : pour Shlomith Rimmon, nous l'avons vu, elle (seule) permet d'analyser les « normes » du texte; pour Mieke Bal, cette « notion a été très populaire parce qu'elle promettait quelque chose que, selon (elle), elle n'a pas été capable de fournir, et qui était d'assumer l'idéologie du texte. Cela aurait permis de condamner un texte sans condamner son auteur, et vice versa – proposition très séduisante pour le gauchisme des années soixante [2] ».

Nous allons retrouver cet aspect de la question. Pour l'instant, je propose d'accepter la définition de l'auteur impliqué comme image de l'auteur dans le texte. Elle me semble correspondre à mon expérience de lecture : je lis, par exemple, *Joseph et ses frères*, j'y entends une voix, celle du narrateur fictif, quelque chose (?) me dit que cette voix n'est pas celle de Thomas Mann, et je construis tant bien que mal, et si possible sans exploiter trop d'indications extratextuelles, derrière l'image explicite de ce narrateur naïf et dévot, l'image, impliquée par cette fiction, de son auteur, que je suppose *a contrario* lucide et « libre penseur ». C'est l'auteur tel que je l'induis de son texte, c'est l'image que ce texte me suggère de son auteur.

En bonne logique (encore elle), une image n'a de traits distincts (de ceux de son modèle), et donc ne mérite une mention spéciale, que si elle est infidèle, c'est-à-dire incorrecte. La correction de l'image « auteur impliqué » (ne) peut dépendre (que) de deux facteurs, liés à sa production et à sa réception. (Je vais devenir très schématique.) L'un est la compétence du lecteur. Il va de soi qu'un lecteur incompétent ou stupide peut construire de l'auteur, à partir du texte, l'image la plus infidèle : croire, par exemple, qu'Albert Camus était un être hagard et inarticulé, ou que Daniel Defoe a passé vingt-huit ans sur une île déserte [3]. Pour éliminer ces déformations secondaires, nous devons

1. Booth : « An implicit *picture* of the author who stands behind the scenes », *Distance and point of view*, p. 64; Bal : « The implied author... is the *image* of the overall subject », 1981, p. 209. Dans cet article, Mieke Bal soutient contre Bronzwaer, et non sans raison, que la notion d'auteur impliqué est incompatible avec le type de narratologie que je propose, et particulièrement avec l'opposition intra/extradiégétique.
2. 1981, p. 42. On aura noté au passage que le geste essentiel de l'analyse idéologique semble consister à « condamner » un texte.
3. « Malgré l'autorité de la chose jugée, beaucoup de personnes se donnent encore aujourd'hui le ridicule de rendre un écrivain complice des sentiments qu'il attribue à ses personnages; et s'il emploie le *je,* presque toutes sont tentées de le confondre avec le narrateur » (Balzac, Préface du *Lys dans la vallée*).

donc supposer chez le lecteur, par décision de méthode, une compétence parfaite. Cela ne signifie pas nécessairement, rassurons-nous, une intelligence surhumaine, mais un minimum de perspicacité banale, et une bonne maîtrise des codes en jeu, dont bien sûr la langue. *Bonne* maîtrise signifie au minimum, je pense, celle que suppose l'auteur, et sur laquelle il table : voyez par exemple le fonctionnement d'un roman policier classique.

L'autre facteur, le seul qui reste maintenant en cause, est la performance de l'auteur (réel), et notre question devient donc : en quelles circonstances un auteur peut-il produire de lui-même, dans son texte, une image infidèle?

D'après les tenants de l'auteur impliqué eux-mêmes, ces circonstances peuvent être de deux ordres. La première hypothèse est celle de la *révélation involontaire* (au sens où la psychanalyse parle de lapsus « révélateurs ») *d'une personnalité inconsciente.* Deux arguments sont ici [1] invoqués : l'un est le témoignage de Proust, qui déclare comme chacun sait : « Un livre est le produit d'un *autre moi* (" *second self* ", dira Booth) que celui que nous manifestons dans nos habitudes, dans la société, dans nos vices... » L'autre est la fameuse analyse « marxiste » (anticipée dès 1870 par Zola) selon laquelle Balzac aurait illustré sans le vouloir, dans la *Comédie humaine*, des opinions politiques et sociales contraires à celles qu'il professait dans la vie. Voici comment Lukács, cité par Lintvelt, exposait cette thèse en 1951 : « Engels a montré que Balzac, bien que politiquement légitimiste, est parvenu dans ses œuvres justement à démasquer la France royaliste et féodale, à donner la forme la plus puissante, hautement littéraire, à l'état de condamnation à mort de l'ordre féodal... Cette contradiction dans Balzac, légitimiste, trouve son point culminant dans le fait que les seuls héros authentiques et vrais de son monde, riche en personnages, sont les lutteurs résolus contre le féodalisme et le capitalisme : les Jacobins et les martyrs des luttes de barricades [2]. »

On ne peut dire que cette formulation soit, de loin, la plus fine et la plus adroite possible [3], mais peu importe : Balzac n'avait pas de mal à

1. Je suis pour l'essentiel l'argumentation de Lintvelt, p. 18-22.
2. *Balzac und der französische Realismus*, 1952, cité Lintvelt, p. 20, trad. fr. Maspero, 1967, p. 14 et 17.
3. Il ne faut malheureusement pas l'attribuer à la conjoncture de l'année 1951, date de cette préface et mauvais millésime s'il en fut : l'argument est déjà dans les textes de 1935 qui font suite, et vient tout droit d'Engels lui-même, pour qui « les seuls hommes dont Balzac parle avec une admiration non dissimulée, ce sont ses adversaires politiques les plus acharnés, les héros

se montrer dans son œuvre moins conservateur que dans ses manifestes, la contradiction idéologique et ce qu'Engels appelle le « triomphe du réalisme » y passent éventuellement par des voies moins épinaliennes, et de toute manière le plus court est ici de supposer la validité de l'exemple. Que conclure dans les deux cas (Proust et Balzac), et dans tous ceux que traitent quotidiennement psychocritique et sociocritique? Évidemment que l'image de l'auteur construite par le lecteur (compétent) est *plus fidèle* que l'idée que cet auteur se faisait de lui-même; Proust parle d'ailleurs ici d'un « moi profond » qui doit bien être *plus vrai* que le moi « superficiel » de la conscience. Ici, donc, *l'auteur impliqué est l'*authentique *auteur réel*. Pour faire scientifique, nous écrirons : AI = AR. Dans ce cas, bien sûr, AI, image fidèle et donc transparente, devient une instance inutile. Exit AI.

La deuxième hypothèse est celle de la simulation volontaire, par l'auteur réel et dans son œuvre, d'une personnalité différente de sa personnalité réelle, ou de l'idée (supposons-la ici, par hypothèse et pour éviter des détours inutiles, correcte) qu'il s'en fait.

Il faut ici, bien entendu, dissocier et négliger le cas des récits à narrateur homodiégétique explicitement distinct et, comme dit Booth, « dramatisé », comme *Tristram Shandy*, la *Recherche* ou *Docteur Faustus* : tout l'effort de simulation s'y porte sur la figure du narrateur : l'image de l'auteur n'en est nullement affectée, et seul le lecteur incompétent évoqué par Balzac, et peut-être illustré par Engels, pourrait assimiler Sterne à Tristram ou Mann à Zeitblom (pour la *Recherche,* nous le savons, le cas est plus complexe). Il y a ici un narrateur-homodiégétique-extradiégétique-auteur-fictif explicite (Tristram), et derrière lui un auteur impliqué qui n'a aucune raison – et j'ajouterai : aucun moyen – de se distinguer de l'auteur réel. Ici encore, donc, AI = AR, et exit AI. Le cas des narrateurs hétérodiégétiques est plus subtil et plus intéressant, puisqu'on a là un narrateur-auteur anonyme, et par là (plus) implicite, dont la personnalité peut effectivement être (volontairement) distincte, voire (généralement)

---

républicains du cloître Saint-Merri, les hommes qui à cette époque (1830-1836) représentaient véritablement les masses populaires » (Lettre d'avril 1888, in Marx-Engels, *Sur la littérature et l'art*, Éditions sociales, 1954, p. 318-319). Il s'agit évidemment du Michel Chrestien d'*Illusions perdues* et de *Cadignan,* dont d'Arthez déclare : « Je ne sais pas, dans les héros de l'Antiquité, d'homme qui lui soit supérieur. » De là à conclure que *Balzac* l'admirait plus qu'aucun autre de ses héros... voir note 3, p. 97. Et pourquoi un légitimiste devrait-il nécessairement, sous la monarchie de Juillet, tenir les républicains pour ses « adversaires politiques les plus acharnés »?

ironique : ainsi du narrateur naïf et bien pensant de *Tom Jones*, « juste-milieu » de *Leuwen,* ou dévot de *Joseph* [1]. Ces ironies, comme toutes les ironies, sont produites pour être déchiffrées, sinon par tout le monde, au moins par les *happy few*, sous peine d'effet perdu : on ne rit pas très bien tout seul. Nous avons donc ici deux instances implicites, mais l'une est le narrateur extradiégétique, l'autre est l'image de l'auteur que le lecteur tire du texte par décodage de l'ironie, et je ne vois aucune raison pour que cette image soit infidèle. Ici encore, AI = AR, et exit AI.

AI me semble donc, *en général*, une instance fantôme (« résiduelle », dit Mieke Bal), constituée par deux distinctions qui s'ignorent réciproquement : 1) AI n'est pas le narrateur, 2) AI n'est pas l'auteur réel, sans voir que dans 1) il s'agit de l'auteur réel, et dans 2) du narrateur, et que nulle part il n'y a place pour une troisième instance qui ne serait *ni* le narrateur *ni* l'auteur réel.

Je ne prétendrai pas, toutefois, que ce principe ne souffre aucune exception, c'est-à-dire aucune situation où l'image de l'auteur proposée par le texte ne soit constitutionnellement infidèle. Décidé à me faire l'avocat (d'office) du diable, j'en ai consciencieusement cherché quelques exemples, et j'ai d'abord cru en trouver plusieurs dans le champ de ce que j'appelle l'hypertextualité [2], où une œuvre signée d'un seul auteur procède en fait de la collaboration involontaire d'un ou plusieurs autres. A l'épreuve, il ne me semble pas que l'hypertextualité suffise à engendrer une image auctoriale incorrecte : dans l'immense majorité des cas en effet, la situation hypertextuelle est clairement balisée, et le lecteur, aidé ou non par des indications paratextuelles, est de toute manière *chargé,* par le contrat générique, de percevoir correctement la relation (inter)auctoriale. Ainsi, dans une parodie, doit-il identifier le texte parodié, et donc son auteur, derrière le texte parodique. Le lecteur du *Chapelain décoiffé* doit y reconnaître à la fois l'hypotexte *le Cid*, et donc l'auteur hypotextuel Corneille, et sa transformation parodique, et donc un parodiste, identifié ou non. Le

---

1. Je dis *personnalité,* et non *identité.* En principe, l'identité d'un narrateur extra-hétérodiégétique n'est tout simplement pas mentionnée, et rien n'oblige – et par conséquent rien n'autorise – à la distinguer de celle de l'auteur; après tout, quand le narrateur de *Joseph Andrews* mentionne une fois son « ami Hogarth », et celui de *Tom Jones* une ou deux fois sa défunte Charlotte, c'est là bel et bien signer Henry Fielding. Le narrateur est donc Fielding lui-même, mais feignant en partie une personnalité qui n'est pas la sienne.
2. Voir 1982, *passim.*

lecteur du *Virgile travesti* doit y percevoir à la fois Virgile et son travestisseur; le lecteur optimal de *Vendredi* doit y reconnaître Defoe sous Tournier, etc. [1]. De même, le lecteur d'un pastiche doit identifier l'auteur modèle (en général, le pasticheur l'y aide), et donc percevoir dans le pastiche la double présence du pasticheur et du pastiché. Dans tous ces cas, donc, la duplicité de l'instance auctoriale est en principe clairement perçue par le lecteur, et le double « auteur impliqué » répond bien au double auteur réel. Ici encore, donc, AI = AR, exit AI.

L'exception me semble ici confinée à deux situations, d'ailleurs toutes deux frauduleuses, c'est-à-dire, précisément, construites de manière à tromper le lecteur en lui proposant, sans aucun indice correctif, une image infidèle de l'auteur. L'une de ces situations est celle de l'*apocryphe,* c'est-à-dire d'une imitation parfaite sans para-texte dénonciateur : le lecteur d'un apocryphe n'est évidemment pas censé y identifier la duplicité de son instance auctoriale; dans un parfait faux Rimbaud, il est censé percevoir un auteur et un seul, Rimbaud bien sûr. Le texte contient un auteur impliqué – parlons plus simplement : le texte implique un auteur – qui est Rimbaud; or l'auteur réel est (par exemple) Tartempion; donc, ici, enfin, AI ≠ AR.

L'autre situation frauduleuse est celle, symétrique, que le langage courant affuble, en français, d'une dénomination quelque peu raciste. Lorsqu'une vedette du spectacle ou de la politique signe de son nom un livre écrit, moyennant rétribution, par un tâcheron anonyme, le lecteur, de nouveau, n'est pas censé percevoir les deux instances auctoriales; il en perçoit une, qui n'est pas la vraie; ici encore, donc, AI ≠ AR.

C'est tout pour l'instant, et c'est peu, convenons-en, et c'est typiquement marginal. C'est même encore moins, car le second cas n'est pas censé exister (aussi n'ai-je, on l'aura remarqué, cité aucun exemple), et le premier n'existe qu'idéalement : je ne connais aucun apocryphe vraiment parfait, et définitivement réussi [2]. Mais il existe au moins encore un troisième cas de dissociation des instances : c'est celui des œuvres écrites en collaboration, comme les romans des frères

1. J'ajoute dans ce dernier cas : lecteur *optimal,* parce que, de toute évidence, la performance de Tournier, plus riche en elle-même, se passe plus facilement que celle de Boileau ou de Scarron d'une identification de l'hypotexte : il y a des degrés dans l'intensité du rapport hypertextuel. Mais je maintiens que la lecture hypertextuelle est, même ici, *supérieure* (et accessoirement plus conforme à l'intention de l'auteur et donc au programme du texte) à une lecture naïve qui en méconnaît un aspect.
2. Stupide : par définition, s'il en existe, nul ne les connaît.

Goncourt ou Tharaud, d'Erckmann-Chatrian, ou de Boileau-Narcejac [1]. Il me semble difficile d'imaginer que le *texte* de ces œuvres indique ou trahisse la duplicité de leur instance auctoriale. Un lecteur non muni de l'indication paratextuelle du nom des auteurs [2] construirait donc spontanément l'image d'un auteur unique, et ici encore AI ≠ AR. Ce cas n'est pas très excitant, mais il a le mérite de la légalité. Je n'en vois décidément pas d'autres (cas), mais la chasse est ouverte.

Ma position sur l' « auteur impliqué » reste donc, en un sens, négative pour l'essentiel. Mais je la dirais volontiers, en un autre sens, essentiellement positive. Tout dépend en effet du statut que l'on veut attribuer à cette notion. Si l'on signifie par là qu'au-delà du narrateur (même extradiégétique) et par divers indices, ponctuels ou globaux, le texte narratif, comme tout autre, induit une certaine *idée* (ce terme est à tout prendre préférable à « image », et il est grand temps de le lui substituer) *de l'auteur,* on signifie une évidence, que je ne puis qu'admettre, et même revendiquer, et *en ce sens* j'adhère volontiers à la formule de Bronzwaer : « Le champ de la théorie narrative [je dirais plus prudemment : de la poétique] exclut l'auteur réel, mais inclut l'auteur impliqué [3]. » L'auteur impliqué, c'est tout ce que le texte nous donne à connaître de l'auteur, et pas plus que tout autre lecteur le poéticien ne doit le négliger. Mais si l'on veut ériger cette *idée de l'auteur* en « instance narrative », je n'en suis plus, tenant toujours qu'il ne faut pas les multiplier sans nécessité – et celle-ci, *comme telle,* me semblant pas nécessaire. Il y a dans le récit, ou plutôt derrière ou devant lui, quelqu'un qui raconte, c'est le narrateur. Au-delà du narrateur, il y a quelqu'un qui écrit, et qui est responsable de tout son en deçà. Celui-là, grande nouvelle, c'est l'auteur (tout court), et il me semble, disait déjà Platon, que cela suffit.

1. Il faut exclure de cette classe les récits homodiégétiques non fictifs (en français : autobiographiques) comme le Journal des mêmes Goncourt, où la duplicité auctoriale est d'emblée impliquée par la duplicité actoriale : *nous.*
2. Encore cette indication peut-elle être équivoque, comme dans « Erckmann-Chatrian » ou « Boileau-Narcejac », que l'on peut prendre pour un nom double individuel, ou mensongère, comme dans « Delly » ou « Ellery Queen », dont j'imagine que peu de lecteurs connaissent, et alors par une voie franchement extratextuelle, la double identité réelle. Pour Delly, les deux auteurs réels, Marie et Frédéric Petitjean de la Rosière, poussaient la dissimulation d'identité jusqu'à dédier leur premier livre (*Une femme supérieure,* 1907) « à *mes* chers parents », ce qui introduit la fiction pseudonymique là où en principe elle n'a point place. Encore heureux qu'ils fussent frère et sœur...
3. Art. cit., p. 3.

J'en dirais bien autant, c'est-à-dire aussi peu, du côté du lecteur : un lecteur est plus ou moins impliqué dans le texte, qui se confond, en narration extradiégétique, avec le narrataire, et qui consiste exhaustivement en les indices qui l'impliquent, et parfois le désignent. En narration intradiégétique, le lecteur impliqué est masqué par le narrataire, et ne peut être visé par aucun indice ponctuel : Des Grieux ne peut s'adresser à personne *au-delà* de Renoncour. Mais il reste en fait globalement impliqué par la compétence linguistique et narrative, entre autres, que le texte postule pour prétendre à être lu : Des Grieux ne parle qu'à Renoncour, mais Renoncour attend un lecteur. La grande dissymétrie, dans tout cela, tient à la *vectorialité* de la communication narrative : l'auteur d'un récit, comme tout auteur, s'adresse à un lecteur qui n'est pas encore au moment où il s'adresse à lui, et qui ne sera peut-être jamais [1]. Contrairement à l'auteur impliqué, qui est, dans la tête du lecteur, l'idée d'un auteur réel, le lecteur impliqué, dans la tête de l'auteur réel, est l'idée d'un lecteur *possible*. Bronzwaer a donc raison [2] de contester que Renoncour, « quoique fictif, s'adresse au public réel, tout comme Rousseau ou Michelet ». Non pas, comme il le dit, parce qu'une personne fictive ne peut s'adresser à un public réel : mais parce qu'aucun auteur, pas même Rousseau ou Michelet, ne peut s'adresser par écrit à un lecteur réel, mais seulement à un lecteur possible. D'ailleurs, même une lettre ne s'adresse à un destinataire réel et déterminé qu'*à supposer* que ce destinataire la lise; or il peut *au moins* mourir avant, je veux dire *au lieu* de la recevoir : cela arrive tous les jours. Jusque-là, et donc pour le scripteur dans sa scription, si déterminé soit-il comme personne, il reste virtuel comme lecteur. Peut-être donc vaudrait-il décidément mieux rebaptiser le « lecteur impliqué » *lecteur virtuel* [3]. D'où révision comme suit du trop répandu schéma des « instances » narratives :

$$AR\ (AI) \rightarrow Nr \rightarrow Rt \rightarrow Nre \rightarrow (LV)\ LR$$

---

1. Le narrateur oral est à cet égard mieux loti, mais ce mieux est tout relatif : l'auditeur est bien là (sinon la narration n'aurait pas lieu), mais êtes-vous bien sûr qu'il écoute?
2. P. 7.
3. Sur ce caractère toujours virtuel ou « conjectural » du lecteur, et sur les diverses manières, variables au cours des siècles, dont l'auteur s'efforce de le « fictionaliser », voir l'excellent article, déjà cité, de W. Ong, dont le seul titre constitue déjà une salutaire mise en garde à l'usage de tous et dans tous les rôles : *The Writer's Audience is Always a Fiction* – sous-entendu, même hors-fiction, et même hors-littérature.

Mon LV signifie donc *lecteur virtuel,* et mon AI souhaiterait (mais cela ne se voit pas) signifier *auteur induit.* Le reste de la figuration est laissé à la compétence herméneutique de mon LV.

Cette discussion avec Wayne Booth, ou du moins avec l'usage à mon sens [1] immodéré que l'on fait d'une notion avancée par lui, m'est l'occasion de répondre d'un mot à sa critique de *Discours du récit.* Occasion maladroite, mais aucune autre ne l'aurait été beaucoup moins, car cette critique est d'ordre très général, et ne porte sur aucun chapitre en particulier. Esquissée dans l'*Afterword* de la deuxième édition de *The Rhetoric of Fiction,* elle est développée dans un essai à peine postérieur [2].

Cet essai, plus qu'indulgent à mon égard, n'est à vrai dire qu'un élément dans la vaste querelle qui oppose Booth, et plus généralement le groupe des *Chicago critics* néo-aristotéliciens, à ce qu'il appelle la *Frague school* (?), ou encore le « déconstructionisticalisme », ou plus généralement le courant « structuraliste et post-structuraliste » français. Vu de Savigny-sur-Orge, l'urgence de cette polémique ne saute pas nécessairement aux yeux. La critique « déconstructionniste », ce produit typiquement américain d'une certaine lecture du derridisme, empêche visiblement de dormir, sur place, ceux qui y voient une menace de destruction de la critique, et de la littérature. Par contagion, toute la critique européenne de l'après-guerre, d'inspiration marxiste, freudienne ou structuraliste, est suspecte à leurs yeux de sophistique et de nihilisme. Comparé à cette marée noire anarchisante, *Discours du récit* apparaît comme un havre de sobriété, de méthode et de rationalisme, un livre, dit Booth, « où l'on apprend, presque à chaque page, comment la littérature et la critique *sont faites* ».

Un compliment est toujours bon à entendre, et je n'ai pas besoin de dire combien m'honorent les éloges d'un critique de la qualité de Wayne Booth, ni comme je partage certains de ses enthousiasmes et de ses agacements, plus quelques autres. Mais enfin, tout accord reposant en partie sur un malentendu, dès l'abord le couple « structuralisme et post-structuralisme » m'alerte un peu : je perçois dans le *post-* de *post-structuralisme* tel qu'on le brandit aux États-Unis un accent de « dépassement » qui m'empêche de l'accoupler à *structuralisme.* De

---

1. Au sien aussi, semble-t-il, puisqu'il se déclare aujourd'hui, à mesure qu'il lit les commentaires qui ont été consacrés à cette proposition, « de plus en plus insatisfait » (1983a, p. 422).
2. 1983a p. 439 et 441, et 1983b.

même que le post-modernisme est surtout (voyez en architecture) une réaction antimoderniste et une fuite dans un néo-éclectisme maniéré, le post-structuralisme, s'il est quelque chose, ne peut guère être qu'une répudiation du structuralisme – je n'ai pas encore compris au profit de quoi. A moins que le « structuralisme ouvert » qu'il m'arrive de préconiser ne soit lui-même une variété de post-structuralisme?

Bref, il y a bien quelque part – au moins dans nos appréciations divergentes du structuralisme – une discordance entre mes valeurs et celles de Wayne Booth, et les réserves de ce dernier à mon égard tiennent évidemment à la résistance que *Discours du récit* (pour ne rien dire de la suite!) oppose à une tentative d'enrôlement que Booth déclare lui-même sans espoir. Il s'étonne par exemple de ma révérence finale à la valorisation barthésienne du « scriptible », ou de ma propre valorisation du « manque d'unité » de la *Recherche*. Il s'agace de me voir soutenir contre Proust le paradoxe formaliste que « la vision peut aussi être une question de style, et de technique » – retournement parodique pourtant fort mesuré. J'ai précisé plus haut les quelques partis pris avant-gardistes dont je me départis aujourd'hui, mais je n'irai pas jusqu'à me ranger sous une bannière psychologiste et moralisante.

Le principal reproche de Booth est en effet de cet ordre : *Discours du récit,* dit-il, montre bien *comment est fait* le récit proustien, mais il manque à dire *à quoi il sert,* quelle est la fonction de chacun des procédés que j'y isole et que j'y définis : de nouveau, donc, le reproche fonctionnaliste à quoi j'ai eu l'occasion de répondre ici même. Encore une fois, je ne suis pas sûr que chaque trait ait une fonction précisément assignable, mais surtout et plus spécifiquement, je ne puis – s'agissant de la *Recherche* – entrer dans la perspective de lecture qui ordonne le fonctionnalisme de Booth. Pour lui, en effet, ma lecture de la *Recherche* est trop intellectualiste et « scientifique », trop centrée sur les notions d'*information* narrative, de *signification,* et, chez le lecteur, sur le seul sentiment de curiosité intellectuelle, à l'exclusion de toute « solidarité morale et affective envers les personnages », et spécialement envers le Narrateur : je ne cherche pas assez comment le mode narratif proustien sert à augmenter notre « sympathie » ou notre « antipathie » envers ceux en qui il faut bien voir, « malgré le ton calme et non mélodramatique (de ce récit), des héros et des vilains ».

J'ai en effet beaucoup de peine à appliquer à la *Recherche* ce critère manichéen. Non que Proust n'y ait investi aucun système axiologique, mais plutôt sans doute parce qu'il y en investit plusieurs (moral, social, esthétique) qui ne valorisent pas tous les mêmes personnages ou les mêmes groupes, si bien qu'il serait à mes yeux impossible de désigner des « bons » et des « mauvais » dans ce microcosme au demeurant instable et kaléidoscopique, sujet à de perpétuels renversements. Quant au « héros », je ne crois pas trahir les intentions de Proust en disant que, sujet d'une expérience presque constamment négative et quelquefois ridicule jusqu'à une révélation finale d'ordre typiquement intellectuel, il ne m'inspire que des sentiments fort tièdes. Mais le point essentiel n'est sans doute pas là, et ce que j'ai à en dire vaudrait aussi bien pour une œuvre à l'axiologie plus univoque, comme celle de Stendhal – car je ne nie nullement que de telles œuvres existent, et parmi les plus grandes, et que l'un des ressorts de leur fonctionnement soit le jeu, chez le lecteur, des identifications sélectives, des sympathies et des antipathies, des espoirs et des angoisses, ou, comme disait notre ancêtre commun, de la terreur et de la pitié. Mais je ne crois pas que les procédés du discours narratif contribuent massivement à déterminer ces mouvements affectifs. La sympathie ou l'antipathie pour un personnage dépendent essentiellement des caractéristiques psychologiques ou morales (ou physiques!) que lui prête l'auteur, des conduites et des discours qu'il lui attribue, et fort peu des techniques du récit où il figure. Le susdit ancêtre observait que l'histoire d'Œdipe est aussi touchante racontée que représentée sur scène, parce qu'elle l'est en vertu de son action même; j'ajoute seulement qu'elle l'est quelle que soit la façon (fidèle) dont on la raconte. J'exagère sans doute, et j'ai incontestablement accordé trop peu d'attention à ces effets psychologiques, mais à y revenir aujourd'hui sous l'incitation de Booth, je ne vois guère que les effets de focalisation qui puissent y contribuer efficacement : Oriane ou Saint-Loup gagnent sans doute beaucoup à être vus par l'œil naïf du jeune Narrateur, Odette ou Albertine perdent tout autant à être épiées par des amants jaloux et, comme dit Swann lui-même, « névropathes ». J'en ai d'ailleurs touché un mot, mais je ne suis pas sûr que ces effets ne se retournent pas parfois contre leur fonction : le lecteur n'est pas assez stupide pour « adopter » sans réserve des « points de vue » aussi manifestement partiaux, et d'ailleurs explicitement donnés pour tels. D'une façon plus générale, sans doute, les subtilités narratives du roman moderne, depuis Flaubert et James, comme le style indirect libre, le monologue intérieur ou la focalisation multiple, exercent plutôt, sur le désir d'adhésion du lecteur, des effets négatifs, et contribuent sans doute à brouiller les pistes, à égarer les « évaluations », à décourager les sympathies et les antipathies.

Pour le répéter une dernière fois, *Discours du récit* porte sur le récit et la narration, non sur l'histoire, et les qualités ou les défauts, les grâces ou les disgrâces des héros ne relèvent pour l'essentiel ni du récit ni de la narration, mais de l'histoire, c'est-à-dire du contenu ou, c'est pour une fois le cas de le dire, de la *diégèse*. Lui reprocher de les négliger, c'est lui reprocher son choix d'objet. Je conçois d'ailleurs assez bien une telle critique : pourquoi me parlez-vous des formes, alors que seul le contenu m'intéresse ? Mais si la question est légitime, la réponse est trop évidente : chacun s'occupe de ce qui le point, et si les formalistes n'étaient pas là pour étudier les formes, qui voudrait s'en charger à leur place ? Il y aura toujours assez de psychologues pour psychologiser, d'idéologues pour idéologiser, et de moralistes pour nous faire la morale : qu'on laisse donc les esthètes à leur esthétique, et qu'on n'attende pas d'eux des fruits qu'ils ne peuvent donner. Il y a un proverbe là-dessus, et sans doute plusieurs.

Je reviens d'un mot à l'auteur « implicite ». Ce double fantomatique me rappelle, je ne sais pourquoi, une histoire de Bernard Shaw, ou peut-être d'Oscar Wilde, plus ou moins récrite par Mark Twain : chacun sait que l'œuvre de Shakespeare n'a pas été écrite par Shakespeare, mais par un de ses contemporains qui s'appelait d'ailleurs lui aussi Shakespeare. Ce qu'on connaît moins, ce sont les circonstances de cette substitution ; les voici. Shakespeare avait un frère jumeau. Un jour qu'on les baignait dans la même bassine, l'un d'eux glissa et se noya. Comme ils étaient absolument indiscernables, on n'a jamais su lequel des deux avait écrit *Hamlet,* et lequel avait été jeté avec l'eau du bain : le même, peut-être ?

XX

Je n'ai pas trop envie de commenter un « après-propos » qui était déjà lui-même un post-scriptum rétrospectif. Le narcissisme a ses limites, au moins techniques, et je me vois mal, au troisième degré, me gloser me glosant. J'ai d'ailleurs déjà donné, ici ou là, mon sentiment sur les motifs, ailleurs implicites, qui s'y trouvaient explicités, et que je continue d'assumer pour l'essentiel, à deux exceptions près, ou plutôt une et demie, sur quoi je reviens donc d'un (dernier) mot.

La première porte sur le refus de « synthèse » (p. 271-272) entre les diverses catégories de temps, de mode et de voix, refus que je justifiais par celui d'y unifier artificiellement l'œuvre de Proust. Je répugne toujours autant à ces impositions de « cohérence » dont la critique interprétative a le facile secret, et je crois que l'état, de plus en plus fidèle, c'est-à-dire de plus en plus imparfait, que l'étude génétique nous donne aujourd'hui du texte de la *Recherche,* contribue de plus en plus à déconstruire et à déstabiliser l'image, en elle, d'une œuvre close et homogène. Le texte proustien ne cesse de s'effilocher sous nos yeux, et la fonction de la narratologie n'est pas de recomposer ce que la textologie décompose. Mais, comme l'observait bien Shlomith Rimmon [1], ce refus d'une synthèse abusive servait un peu trop de prétexte à un recul devant la nécessaire corrélation des paramètres constitutifs, chez Proust ou ailleurs, des diverses situations narratives. Croiser ces catégories dans un tableau d'ensemble n'est pas préjuger ni forcer *a priori* leurs capacités de rencontre. J'ai tenté plus haut de combler cette lacune en indiquant la voie d'une telle opération, sans toutefois la mener à son terme (le tableau complet de toutes les croisées possibles), parce qu'un tel achèvement, outre le ridicule, et l'impossiblité matérielle, serait sans doute plus stérilisant que stimulant : une grille doit *toujours* rester ouverte [2].

La seconde réserve porte sur la valorisation des aspects novateurs ou « subversifs » d'une œuvre, celle de Proust ou toute autre. J'ai répudié plus haut la conception simpliste de l'histoire de l'art, peut-être de l'Histoire tout court, qu'implique un tel parti, mais je vois que le désaveu était à demi esquissé p. 271, où j'en reconnaissais le caractère « naïf » et « romantique ». Je n'aurais donc plus qu'à achever l'esquisse, mais ce n'est pas si simple, car je me sens encore très proche – et non par piété posthume – de la valorisation barthésienne du « scriptible », que j'invoquais alors. Je lui donnerais seulement aujourd'hui un sens légèrement différent, et qui n'engage évidemment que moi. Je n'opposerais plus le « scriptible » au « lisible » comme le moderne au classique ou le déviant au canonique, mais plutôt comme le virtuel au réel, comme un possible non encore produit, et dont la démarche théorique a le pouvoir d'indiquer la place (la fameuse case vide) et le caractère. Le « scriptible », ce n'est pas seulement un *déjà écrit* à la récriture duquel la lecture participe et contribue par sa lecture. C'est aussi un inédit, un *inécrit* dont la poétique, entre autres, par la généralité de son enquête, découvre et désigne la virtualité, et qu'elle

---

1. 1976*a,* p. 57.
2. « Peu importe que le tableau soit incomplet, dit Philippe Lejeune à propos d'un autre : l'avantage d'un tableau, c'est qu'il simplifie, qu'il dramatise un problème. Il doit être inspirant. S'il était plus compliqué, il serait plus juste, mais si confus qu'il ne servirait plus à rien » (1982, p. 23).

nous invite à réaliser. Qui est ce « nous », l'invitation s'adresse-t-elle seulement au lecteur, ou le poéticien doit-il lui-même passer à l'acte, je n'en sais trop rien, ou si l'invite doit rester invite, désir insatisfait, suggestion sans effet – mais non toujours sans influence : ce qui est sûr, c'est que la poétique en général, et la narratologie en particulier, ne doit pas se confiner à *rendre compte* des formes ou des thèmes existants. Elle doit aussi explorer le champ des possibles, voire des « *impossibles* », sans trop s'arrêter à cette frontière, qu'il ne lui revient pas de tracer. Les critiques n'ont fait jusqu'ici qu'interpréter la littérature, il s'agit maintenant de la transformer. Ce n'est certes pas l'affaire des seuls poéticiens, leur part sans doute y est infime, mais que vaudrait la théorie, si elle ne servait aussi à *inventer la pratique?*

Bibliographie

C'est ici une bibliographie très sélective des études de narratologie depuis 1972, plus quelques titres qui auraient dû figurer dans celle de *Discours du récit*. Quoique sélective, elle est probablement lacunaire, et d'ores et déjà dépassée, ayant été arrêtée à la date du 27 juin 1983.

Authier, J., « Les formes du discours rapporté », *DRLAV* 17, 1978.
Bachellier, Jean-Louis, « La poétique lézardée », *Littérature* 12, décembre 1973.
Backus, Joseph M., « 'He came into her line of vision walking backward' : Non Sequential Sequence-signals in Short Story Openings », *Language Learning : A Journal of Applied Linguistics*, 15, 1965.
Bakhtine, Mikhaïl (V.N. Volochinov), « Discours indirect libre en français, en allemand et en russe », *Le Marxisme et la Philosophie du langage* (1929), Minuit, 1979.
Mieke Bal, *Narratologie*, Klincksieck, 1977.
– *De theorie van vertellen en verhalen : Inleiding in de narratologie*, Coutinho, Muiderberg, 1978.
– « Notes on Narrative Embedding », *Poetics Today* 2, 2, Winter 1981*a*.
– « The Laughing Mice, or : On Focalization », *ibid.*, 1981*b*.
Bally, Charles, « Le style indirect libre en français moderne », *GRM* 4, 1912.
– « Figures de pensée et formes linguistiques », *GRM* 6, 1914.
Banfield, Ann, « Narrative Style and the Grammar of Direct and Indirect Speech », *Foundations of Language* 10, 1973.
– « The Formal Coherence of Represented Speech and Thought », *PTL* 3, 1978*a*.
– « Where Epistemology, Style and Grammar Meet Literary History : The Development of Represented Speech and Thought », *New Literary History* 9, 1978*b*.
– « Reflective and Non-Reflective Consciousness in the Language of Fiction », *Poetics Today* 2, 2, Winter 1981.
– *Unspeakable Sentences : Narration and Representation in the Language of Fiction*, Routledge & Kegan Paul, Boston-London, 1982.

Bann, Stephen, C.R. de *Narrative Discourse, London Review of Books*, October 1980.

Barth, John, «Tales Within Tales Within Tales», *Antaeus* 43, Autumn 1981.

Barthes, Roland, «Introduction à l'analyse structurale des récits», (1966), *Poétique du récit*, Seuil, 1977.

– «L'effet de réel» (1968), *Littérature et Réalité*, Seuil, 1982.

– «To Write: An Intransitive Verb?», in Macksey & Donato, 1970.

– «Analyse textuelle d'un conte d'Edgar Poe», in C. Chabrol, *Sémiotique narrative et textuelle*, Larousse, 1973.

Beach, Joseph Warren, *The Method of Henry James*, Yale U. Press, 1918.

– *The XXth Century Novel, Studies in Technique*, 1932.

Berendsen. Marjet, *The Teller and the Observer: G. Genette's and M. Bal's Theories on Narration and Focalization Examined*, mémoire inédit, Hertogenbosch, 1979.

Bickerton, Derek, «Modes of Interior Monologue: A Formal Definition», *Modern Language Quarterly* 28, 1967.

– «J. Joyce and the Development of Interior Monologue», *Essays in Criticism* 18, 1, 1968.

Birge-Vitz, Evelyne, «Narrative Analysis of Medieval Texts», *Modern Language Notes* 92, 1977.

Bonnycastle, S, & Kohn, A., «G. Genette and S. Chatman on Narrative», *Journal of Practical Structuralism* 2, 1980.

Bony, Alain, «La notion de *persona* ou d'*auteur implicite*: problèmes d'ironie narrative», *L'Ironie, Linguistique et Sémiologie* 2, P.U. Lyon, 1978.

Booth, Wayne C., «The Self-conscious Narrator in Comic Fiction before *Tristram Shandy*», *PMLA*, 1952.

– «Distance et point de vue», (1961) *Poétique du récit*, Seuil, 1976.

– *The Rhetoric of Fiction, Second Edition*, The University of Chicago Press, 1983*a*.

– «Rhetorical Critics Old an New: the Case of Gérard Genette», in Laurence Lerner, ed., *Reconstructing Literature*, Basil Blackwell, 1983*b*.

Bronzwaer, W.J.M., *Tense in the Novel*, Groningue, 1970.

– Implied Author, Extradiegetic Narrator and Public Reader: G. Genette's Narratological Model and the Reading Version of *Great Expectations*», *Neophilologus* 62, 1978.

– «M. Bal's Concept of Focalization», *Poetics Today* 2, 2, Winter 1981.

Brooke-Rose, Christine, *A Rhetoric of the Unreal*, Cambridge U. Press, 1981.

Bruss, Elizabeth, *Autobiographical Acts*, J.H.U. Press, 1977.

Charles, Michel, *Rhétorique de la lecture*, Seuil, 1977.

Chatelain, Danièle, «Itération interne et scène classique», *Poétique* 51, septembre 1982.

Chatman, Seymour, *Story and Discourse: Narrative Structure in Fiction and Film*, Cornell U. Press, 1978.

BIBLIOGRAPHIE

- C.R. de *Narrative Discourse, Journal of Aesthetics and Art Criticism*, Winter 1980.
Cohn, Dorrit, « Narrated Monologue : Definition of a Fictional Style », *Comparative Literature* 18, 1966.
- « K. Enters *The Castle* : On the Change of Person in Kafka's Manuscript », *Euphorion* 62, 1968.
- *Transparent Minds : Narrative Modes for Presenting Consciousness in Fiction*, Princeton U. Press, 1978; trad. fr., *La Transparence intérieure*, Seuil, 1981*a*.
- « The Encirclement of Narrative », *Poetics Today* 2, 2, Winter 1981*b*.
Crosman, Inge, *Metaphoric Narration*, Un. of N. Carolina Press, 1970.
Culler, Jonathan, *Structuralist Poetics*, Cornell U. Press, 1975.
- « Foreword » to Genette, *Narrative Discourse*.
Dällenbach, Lucien, *Le Récit spéculaire*, Seuil, 1977.
Danon-Boileau, Laurent, *Produire le fictif*, Klincksieck, 1982.
Debray-Genette, Raymonde, « La pierre descriptive », *Poétique* 43, septembre 1980.
- « Traversées de l'espace descriptif », *Poétique* 51, septembre 1982.
Demoris, René, *Le Roman à la première personne*, Colin, 1975.
Dillon, G.L. & Kirchoff, F., « On the Form and Function of Free Indirect Style », *PTL* 1, 3, 1976.
Doležel, Lubomir, « The Typology of the Narrator : Point of View in Fiction », *To Honor R. Jakobson*, Mouton, 1967.
- *Narrative Modes in Czech Literature*, Toronto U. Press, 1973.
Fitch, Brian T., *Narrateur et Narration dans l'« Étranger »*, Minard, 1960.
Friedemann, Käte, *Die Rolle des Erzählers in der Epik*, Leipzig, 1910.
Friedman, Norman, *Form and Meaning in Fiction*, Georgia U. Press, 1975, chap. VIII (nouvelle version de « Point of View in Fiction »).
Genette, Gérard, *Figures III*, Seuil, 1972.
- *Introduction à l'architexte*, Seuil, 1979.
- *Narrative Discourse* (trad. angl. par Jane E. Lewin de *Discours du récit*), Cornell U. Press & Basil Blackwell, 1980.
- *Palimpsestes, La littérature au second degré*, Seuil, 1982.
Glowinski, Michal, « Der Dialog im Roman » *Poetica*, 1976.
- « On the First-Person Novel », *New Literary History* 9, 1, Fall 1977.
Gothot-Mersch, Claudine, « La parole des personnages » (1981), *Travail de Flaubert*, Seuil, 1983.
Guiraud, Pierre, « Modern Linguistics Looks at Rhetoric : Free Indirect Style », in J. Strelka ed., *Patterns of Literary Style*, Penn State U. Press, 1971.
Hamburger, Käte, *The Logic of Literature* (trad. angl. de *Die Logik der Dichtung*), Indiana U. Press, 1973.
Hamon, Philippe, « Pour un statut sémiologique du personnage » (1972), *Poétique du récit*, Seuil, 1977.

– « Sur quelques concepts narratologiques », *Les Lettres romanes* 33, 1, 1979.
– *Introduction à l'analyse du descriptif*, Hachette, 1981.
– *Le Personnel du roman*, Droz, 1983.
Harweg, Roland, *Pronomina und Textkonstitution*, Munich, 1968.
Hayman, David, C.R. de *Figures III, Novel*, 1973.
Hernadi, Paul, « Dual Perspective : Free Indirect Discourse and Related Techniques », *Comparative Literature* 24, 1972.
Hoek, Leo H., *La Marque du titre, Dispositifs sémiotiques d'une pratique textuelle*, Mouton, 1982.
Holmshawi, Lorraine, « Les exilés de la narratologie », *French Studies in South Africa*, 1981.
Iser, Wolfgang, *Der Implizit Leser*, Fink, 1972; trad. angl., *The Implied Reader*, J.H.U. Press, 1974.
– *Der Akt des Lesens*, Fink, 1976; trad.angl., *The Act of Reading*, J.H.U. Press, 1978.
Jacquet, Marie-Thérèse, « La fausse libération du dialogue ou le ' style direct intégré ' dans *Bouvard et Pécuchet* », *Annali della Facolta di Lingue et Letterature straniere dell' Universita di Bari* 1, 1, 1980.
Jost, François, « Narration(s) : en deçà et au-delà », *Communications* 38, 1983*a*.
– *Du nouveau roman au nouveau romancier. Questions de narratologie*, Thèse EHESS, Paris, 1983*b*.
Kalepky, Theodor, « Mischung indirekter und direkter Rede... », *Zeitschrift für romanische Philologie* 23, 1889.
Kalik-Teljatnicova, A., « De l'origine du prétendu style indirect libre », *Le Français moderne* 33, 1965-1966.
Kayser, « Wer erzählt den Roman? », *Die Vortragsreise*, Berne, 1958; trad. fr., « Qui raconte le roman? », *Poétique du récit*, Seuil, 1976.
Kuroda, S.Y., « Where Epistemology, Style and Grammar Meet », in Kiparsky ed., *Festschrift for Morris Halle*, New York, 1973; trad. fr., « Où l'épistémologie... », *Aux quatre coins de la linguistique*, Seuil, 1979.
– « Reflections on the Foundations of Narrative Theory from a Linguistic Point of View », in Van Dijk ed, *Pragmatics of Language and Literature*, Amsterdam – New York 1976; trad. fr. « Réflexions sur les fondements de la théorie de la narration », *Langue, Discours, Société*, Seuil, 1975.
Lejeune, Philippe, *Le Pacte autobiographique*, Seuil, 1975.
– *Je est un autre*, Seuil, 1980.
– « Le pacte autobiographique (bis) », *Actes du IIᵉ colloque international sur l'autobiographie...*, Presses de l'Université de Provence, 1982.
Lerch, Eugen, « Die stilistische Bedeutung des Imperfekts der Rede », *GRM* 6, 1914.
– « Ursprung und Bedeutung der sog. ' Erlebten Rede ' », *GRM* 16, 1928.
Lerch, G., « Die uneigentlich direkte Rede », *Idealistische Philologie*, Heidelberg, 1922.

BIBLIOGRAPHIE

Liebow, Cynthia, *La Transtextualité dans* The Sot-weed Factor *de John Barth*, Thèse EHESS, Paris, 1982.

Lintvelt, Jaap, *Essai de typologie narrative : le point de vue*, Corti, 1981.

Lorck, Etienne, *Die erlebte Rede : Eine sprachliche Untersuchung*, Heidelberg, 1921.

Lyotard, Jean-François, « Petite économie libidinale d'un dispositif narratif », *Des dispositifs pulsionnels*, UGE 10/18, 1973.

Macksey, Richard & Donato, Eugenio, ed., *The Languages of Criticism and the Sciences of Man*, J.H.U Press, 1970.

Magny, Claude-Edmonde, *L'Âge du roman américain*, Seuil, 1948.

McHale, Brian, « Free Indirect Discourse : A Survey of Recent Accounts », *PTL* 3, 2, April 1978.

– C.R. de Roy Pascal, *The Dual Voice, ibid.*

– « *Islands on the Stream of Consciousness* », *Poetics Today* 2, 2, 1981.

Molinié, Georges, *Du roman grec au roman baroque*, Univ. de Toulouse-Le Mirail, 1982.

Mosher, Harold, « The Structuralism of G. Genette », *Poetics* 5, 1, 1976.

– « A Reply to Some Remarks on Genette's Structuralism », *Poetics* 7, 3, 1978.

– « Recent Studies in Narratology », *PLL*. 1981.

Nøjgaard, Morten, C.R. de *Figures III, Revue Romane* 9, 1, 1974.

Ong, Walter J., « The Writer's Audience is Always a Fiction », *PMLA* 90, 1, Jannary 1975.

Orwell, George, « Charles Dickens » (1940), *Selected Essays*, Londres, 1961.

Pascal, Roy, « Tense and Novel », *Modern Language Review* 57, 1962.

– *The Dual Voice : Free Indirect Speech and its Functioning in the XIXth Century European Novel*, Manchester U. Press, 1977.

Petit, Jacques, « Une relecture de Mauriac... » *Edition et Interprétation des manuscrits littéraires*, Berne, 1981.

Pier, John, *L'instance narrative du récit à la première personne*, PhD, NYU, 1983.

– Article *Diegesis*, à paraître in T. Sebeok *et al., Encyclopedic Dictionary of Semiotics*, Indiana U. Press.

Plénat. M., « Sur la grammaire du style indirect libre », *Cahiers de grammaire* 1, Toulouse-Le Mirail, octobre 1979.

Pratt, Mary-Louise, *Toward a Speech Act Theory of Literary Discourse*, Indiana U. Press, 1977.

Prince, Gerald, « Introduction à l'étude du narrataire », *Poétique* 14, avril 1973*a*.

– *A Grammar of Stories*, Mouton, 1973*b*.

– « Notes on the Text as Reader », in Suleiman, Susan & Crosman, Inge, ed., *The Reader in the Text*, Princeton U. Press, 1980.

– « Reading and Narrative Competence », *L'Esprit créateur* 21, 2, été 1981.

– « Narrative Analysis and Narratology », *New Literary History* 13, 2, Winter 1982*a*.
– *Narratology: The Form and Function of Narrative*, Mouton, 1982*b*.
Puech, Jean-Benoît, *L'Auteur supposé, Essai de typologie des écrivains imaginaires en littérature*, Thèse EHESS, Paris, 1982.
Ricardou, Jean, *Nouveaux Problèmes du roman*, Seuil, 1978.
Ricœur, Paul, *et al., La Narrativité*, Ed. du CNRS, 1980.
Riffaterre, Michael, « L'illusion référentielle » (1978), *Littérature et Réalité*, Seuil, 1982.
Rimmon, Shlomith, « A Comprehensive Theory of Narrative : G. Genette's *Figures III* and the Structuralist Study of Fiction », *PTL* 1, 1, January 1976*a*.
– « Problems of Voice in V. Nabokov's *The Real Life of Sebastian Knight* », *PTL* 1, 3, October 1976*b*.
– *Narrative Fiction : Contemporary Poetics*, Methuen, 1983.
Ringler, Susan, *Narrators and Narrative Contexts in Fiction*, PhD, Stanford, 1981.
Ron, Moshe, « Free Indirect Discourse, Mimetic Language Games and the Subjet of Fiction », *Poetics Today*, 2, 2, Winter 1981.
Rousset, Jean, *Narcisse romancier, Essai sur la première personne dans le roman*, Corti, 1973.
Schmid, Wolf, *Der Textaufbau in den Erzählungen Dostoevskys*, Fink, 1973.
Scholes, Robert, *Structuralism in Literature*, Yale U. Press, 1974.
– *Semiotics and Interpretation*, Yale U. Press, 1982.
Searle, John R., « The Logical Status of Fictional Discourse », *New Literary History* 6, 2, Winter 1975.
Sørensen, Kathrine, *La Théorie du roman, Thèmes et modes*, Thèse EHESS, 1983.
Souriau, Etienne, « La structure de l'univers filmique et le vocabulaire de la filmologie », *Revue internationale de filmologie*, 7-8, 1948.
Spielhagen, Friedrich, *Beiträge zur Theorie und Technik des Romans*, Leipzig, 1883.
– *Neue Beiträge zur Theorie und Technik der Epik und Dramatik*, Leipzig, 1898.
Stanzel, Franz K., *Narrative Situations in the Novel*, Indiana U. Press, 1971 (trad. angl. de *Die typischen Erzählsituationen*).
– *Typische Formen des Roman*, Göttingen, 1964.
– « Second Thoughts on Narrative Situations in the Novel », *Novel* 11, 1978.
– *Theorie des Erzählens*, Göttingen, 1979; trad. angl. à paraître, Cambridge Univ. Press.
– « Teller-Characters and Reflector-Characters in Narrative Theory », *Poetics Today* 2, 2, Winter 1981.
Sternberg, Meir, *Expositional Modes and Temporal Ordering in Fiction*, Johns Hopkins Univ. Press, 1978.

BIBLIOGRAPHIE

- « Proteus in Quotation-Land, Mimesis and the Forms of Reported Discourse », *Poetics Today*, III, 2, Spring 1982.
Strauch, G., « De quelques interprétations récentes du style indirect libre », *Recherches anglaises et américaines*, 1974.
Suleiman, Susan, C.R. de *Figures III, French Review*, octobre 1974.
- *Le Roman à thèse*, PUF, 1983.
Tamir, Nomi, « Some Remarks on a Review of G. Genette's Structuralism », *Poetics* 5, 4, 1976a.
- « Personal Narrative and its Linguistic Foundation », *PTL* 1, 3, October 1976b.
Thibaudet, Albert, *Gustave Flaubert*, Gallimard, 1935.
Tillotson, K., *The Tale and the Teller*, Londres, 1959.
Tobler, A., « Vermischte Beitrage zur französischen Grammatik », *Zeitschrift für romanische Philologie* 11, 1887.
Todorov, Tzvetan, *Poétique, Seuil, 1973 (nouvelle version de « Poétique », 1968).
Ullman, Stephen, *Style in the French Novel*, Cambridge U. Press, 1957.
Uspenski, Boris, *Poétika Kompozicii*, Moscou, 1970; trad. fr. partielle, « Poétique de la composition », *Poétique* 9, février 1972; trad. angl., *A Poetics of Composition*, Univ. of California Press, 1973.
Van den Heuvel, Pierre, « Le discours rapporté », *Neophilologus* 57, 1, 1978.
Van Rees, C.J., « Some Issues in the Study of Conceptions of Literature : A Critique of the Instrumentalist View of Literary Theories » *Poetics* 10, 1981.
Verschoor, J.A., *Étude de grammaire historique et de style sur le style direct et les styles indirects en français*, Groningue, 1959.
Vitoux, Pierre, « Le jeu de la focalisation », *Poétique* 51, septembre 1982.
Walzel, Oskar, « Von ' Erlebter ' Rede », *Zeitschrift für Bucherfreunde*, 1924.
- *Das Wortkunstwerk*, Leipzig, 1926.
Weissman, Frida S., « Le monologue intérieur : à la première, à la deuxième ou à la troisième personne? », *Travaux de Linguistique et de Littérature* 14, 2, 1976.

PS du 2 septembre 1983 : Je profite d'une ultime correction d'épreuves pour signaler un article dont je n'ai pu tenir compte dans mon travail, mais avec lequel je m'accorde sur l'essentiel (c'est une critique de Banfield, 1982) : Brian McHale, « Unspeakable Sentences, Unnatural Acts », *Poetics Today*, I, 1983.

Table

IMPRIMERIE HÉRISSEY À ÉVREUX (11-84)
D.L. NOVEMBRE 1983 — N° 6627-2 (35823)